ENDOSSOS

"O conteúdo deste livro traz as características de um bom sermão: boa estrutura e organização, clareza, didática e praticidade. Sua leitura é indispensável para estudantes de homilética e 'leigos' envolvidos no glorioso ministério da pregação."
***Gelson dos S. Magalhães**, professor de homilética da Faculdade Teológica Sul-Americana, Londrina (PR). Pastor da Igreja Presbiteriana do Brasil Boas Novas.*

"O livro de James Braga auxilia os pregadores iniciantes e permite que os mais experientes relembrem os princípios básicos da homilética. Felicito a Editora Vida por relançar pelo selo Vida Acadêmica esta obra, a qual sempre recomendo aos meus alunos."
***Itamir N. de Souza**, professor de Pregação Expositiva da Faculdade Teológica Batista de São Paulo (SP). É diretor do Instituto de Desenvolvimento e Aperfeiçoamento de Líderes.*

"Lecionando a matéria homilética, tenho percebido quão relevante é a obra de James Braga. Um livro bastante didático e esclarecedor. Com muita alegria, vejo a reedição de um livro tão importante como este, que, com certeza, já se tornou um clássico."
***Ricardo Bitun**, pastor da Igreja Evangélica Manaim e professor na Universidade Presbiteriana Mackenzie, São Paulo (SP).*

"James Braga foi capaz de unir os conceitos da homilética à prática, equilibrar as proposições retóricas à simplicidade do conteúdo, revelar a tarefa de preparação de sermão sem a exaustão da técnica, instruir sobre o processo da construção do sermão, sem perder a essência da verdade bíblica."
***Durvalina B. Bezerra**, professora e diretora do Seminário Betel Brasileiro, São Paulo (SP). Especialização em Missiologia pelo Centro de Treinamento da WEC-AMEM, Austrália.*

"Esta obra é clara e didática, sem ser superficial. É sucinta, porém abrangente, ao apresentar as estruturas para a construção de sermões, a excelente bibliografia e a leitura cristã e pastoral sobre o tema abordado. Um livro indispensável ao acervo de qualquer pesquisador atento."
***Jonathas C. Batista**, pastor da Igreja Batista Memorial em Diadema (SP). É graduado em Teologia pela Universidade Presbiteriana Mackenzie.*

"Recomendamos esta obra, pois trata-se de um referencial para todos os estudantes de homilética e também para os novos pregadores. O livro continua sempre atual e vibrante. Usei-o em minha própria formação e continuo a usá-lo na formação dos nossos alunos."
***Zoltán Fodor**, pastor da Igreja Evangélica Avivamento da Fé, Osasco (SP). Teólogo e diretor da Escola Teológica Avivamento da Fé, Osasco.*

"*Como preparar mensagens bíblicas* não é um livro de ilustrações ou esboços pré-fabricados. Este livro é uma pedra preciosa e ao mesmo tempo uma ferramenta extremamente eficaz, pois enriquece e aperfeiçoa o ministério da Palavra tanto para novos pregadores quanto para eruditos."
***Antônio Stafussi Jr.**, pastor presidente da Igreja O Brasil para Cristo, Vila Carrão, São Paulo (SP). Fundador e diretor da comissão ministerial e de ética do Instituto Bíblico O Brasil para Cristo.*

"Certamente que se beneficiarão dele os seminaristas e iniciantes, e também os pastores e líderes leigos. Aqueles que não tiveram a oportunidade de galgar formação acadêmica e diariamente enfrentam a responsabilidade de entregar às suas congregações o evangelho, encontrarão neste livro auxílio de valor inestimável!"
***Décio Leme**, pastor presidente da Igreja Cristã Evangélica Independente de Vila Monumento desde 1998, São Paulo (SP).*

JAMES BRAGA

como preparar mensagens bíblicas

Vida ACADÊMICA

Editora Vida
Rua Conde de Sarzedas, 246 Liberdade
cep 01512-070 São Paulo, sp
Tel.: 0 xx 11 2618 7000
atendimento@editoravida.com.br
www.editoravida.com.br

Editor responsável: Sônia Freire Lula Almeida
Editor-assistente: Gisele Romão da Cruz
Tradução: João Batista
Preparação: Miguel Facchini
Revisão: Judson Canto
Revisão do acordo ortográfico: Josemar de Souza Pinto
Diagramação: Efanet Design
Capa: Marcelo Moscheta

COMO PREPARAR MENSAGENS BÍBLICAS
Título do original: *How to Prepare Bible Messages*,
Edição publicada por Multnomah Press
(Ontario, Califórnia, EUA)

■

Todas as citações bíblicas e de terceiros foram adaptadas segundo o Acordo Ortográfico da Língua Portuguesa, assinado em 1990, em vigor desde janeiro de 2009.

■

As opiniões expressas nesta obra refletem o ponto de vista de seus autores e não são necessariamente equivalentes às da Editora Vida ou de sua equipe editorial.

Os nomes das pessoas citadas na obra foram alterados nos casos em que poderia surgir alguma situação embaraçosa.

Todos os grifos são do autor, exceto indicação em contrário.

2. edição: 2005
1ª reimp.: nov. 2009 (Acordo Ortográfico)
2ª reimp.: set. 2010
3ª reimp.: jun. 2011
4ª reimp.: ago. 2012
5ª reimp.: jul. 2013
6ª reimp.: out. 2014
7ª reimp.: out. 2015
8ª reimp.: jun. 2016
9ª reimp.: jun. 2018
9ª reimp.: fev. 2019
10ª reimp.: jan. 2020
11ª reimp.: mar. 2021
12ª reimp.: nov. 2022

Dados Internacionais de Catalogação na Publicação (CIP)
(Câmara Brasileira do Livro, SP, Brasil)

Braga, James
Como preparar mensagens bíblicas / James Braga; tradução João Batista — 2. ed. rev. e atual. — São Paulo: Editora Vida, 2005.

Título original: *How to Prepare Bible Messages*
ISBN 978-85-7367-142-1

1. Bíblia — Uso homilético 2. Sermões I. Título.

05-5802 CDD 251.01

Índices para catálogo sistemático:

1. Mensagens bíblicas : Preparação : Cristianismo 251.01
2. Sermões bíblicos : Preparação : Cristianismo 251.01

JAMES BRAGA

como preparar mensagens bíblicas

Vida
ACADÊMICA

Editora Vida
Rua Conde de Sarzedas, 246 Liberdade
cep 01512-070 São Paulo, sp
Tel.: 0 xx 11 2618 7000
atendimento@editoravida.com.br
www.editoravida.com.br

Editor responsável: Sônia Freire Lula Almeida
Editor-assistente: Gisele Romão da Cruz
Tradução: João Batista
Preparação: Miguel Facchini
Revisão: Judson Canto
Revisão do acordo ortográfico: Josemar de Souza Pinto
Diagramação: Efanet Design
Capa: Marcelo Moscheta

COMO PREPARAR MENSAGENS BÍBLICAS
Título do original: *How to Prepare Bible Messages*,
Edição publicada por Multnomah Press
(Ontario, Califórnia, EUA)

■

Exceto em caso de indicação em contrário, todas as citações bíblicas foram extraídas de *Nova Versão Internacional* (NVI)

Todas as citações bíblicas e de terceiros foram adaptadas segundo o Acordo Ortográfico da Língua Portuguesa, assinado em 1990, em vigor desde janeiro de 2009.

■

As opiniões expressas nesta obra refletem o ponto de vista de seus autores e não são necessariamente equivalentes às da Editora Vida ou de sua equipe editorial.

Os nomes das pessoas citadas na obra foram alterados nos casos em que poderia surgir alguma situação embaraçosa.

Todos os grifos são do autor, exceto indicação em contrário.

2. edição: 2005
1ª reimp.: nov. 2009 (Acordo Ortográfico)
2ª reimp.: set. 2010
3ª reimp.: jun. 2011
4ª reimp.: ago. 2012
5ª reimp.: jul. 2013
6ª reimp.: out. 2014
7ª reimp.: out. 2015
8ª reimp.: jun. 2016
9ª reimp.: jun. 2018
9ª reimp.: fev. 2019
10ª reimp.: jan. 2020
11ª reimp.: mar. 2021
12ª reimp.: nov. 2022

Dados Internacionais de Catalogação na Publicação (CIP)
(Câmara Brasileira do Livro, SP, Brasil)

Braga, James
Como preparar mensagens bíblicas / James Braga; tradução João Batista — 2. ed. rev. e atual. — São Paulo: Editora Vida, 2005.

Título original: *How to Prepare Bible Messages*
ISBN 978-85-7367-142-1

1. Bíblia — Uso homilético 2. Sermões I. Título.

05-5802 CDD 251.01

Índices para catálogo sistemático:

1. Mensagens bíblicas : Preparação : Cristianismo 251.01
2. Sermões bíblicos : Preparação : Cristianismo 251.01

Dedicado com afeto a Anne, querida e devotada esposa

"Na presença de Deus e de Cristo Jesus, que há
de julgar os vivos e os mortos por sua manifestação
e por seu Reino, eu o exorto solenemente:
Pregue a palavra, esteja preparado a tempo
e fora de tempo, repreenda, corrija, exorte com
toda a paciência e doutrina" (2Timóteo 4.1,2).

Sumário

Apresentação

Se a igreja cristã quiser manter um testemunho ativo nesta geração, e se os cristãos em Cristo desejarem crescer e tornar-se cristãos maduros e eficientes, é da maior importância que os pastores, mestres e outros líderes providenciem para o povo o "leite sincero da Palavra" mediante mensagens fundamentadas na Bíblia e que dela se originam.

É pois com prazer que recomendo ao público cristão o excelente trabalho do rev. James Braga, *Como preparar mensagens bíblicas*.

Não se trata de um livro comum sobre preparação de sermões descritos por tipos e que inclui uma pequena amostra do melhor que o autor tem a apresentar. É um verdadeiro manual de orientação para o estudo individual ou para a sala de aula, no processo detalhado da elaboração de mensagens.

O livro divide-se em duas partes. A primeira apresenta a definição e o estudo dos principais tipos de sermão — temático, textual e expositivo —, acompanhados de princípios básicos e exemplos orientadores. A segunda trata do processo de elaboração de sermões, levando em conta a estrutura homilética, o título, a introdução, a proposição, as divisões, a discussão, o uso de ilustrações, a aplicação e a conclusão. O livro acentua princípios básicos seguidos de exemplos interessantes, justificando assim o título, pois é, de fato, um instrumento de ajuda na preparação de mensagens.

No final de cada capítulo, há exercícios que tornam o livro ainda mais útil como texto para a sala de aula ou para o estudo individual. A bibliografia, no final do livro, torna-o ainda mais valioso para o estudante que deseja ampliar os conhecimentos nesse campo.

A leitura deste volume deixa-nos a impressão de ser esta obra um reflexo de toda uma vida de estudo pessoal da Palavra, aliado a uma profunda reverência pelo caráter sagrado da tarefa e ao desejo de ajudar o povo de Deus a compreender e comunicar as preciosas verdades bíblicas.

Conheço o autor desde 1949 como companheiro de docência e amigo no ministério da Palavra em nossa escola. Daí o profundo respeito que tenho por ele como estudante meticuloso da Bíblia, cuja vida e cujo testemunho têm sido uma bênção para toda a faculdade. Seu livro merece cuidadoso exame da parte dos que procuram melhorar suas técnicas no preparo de mensagens bíblicas.

Portland, Oregon
3 de junho de 1968

TED L. BRADLEY
Escola Bíblica Multnomah

Prefácio

Em vista dos numerosos livros escritos sobre o preparo e a apresentação de sermões, pode parecer supérfluo acrescentar outro à vasta literatura já existente. Mas, após dezenove anos de ensino de homilética em um instituto bíblico, convenci-me da necessidade de um manual que aplique os princípios homiléticos à elaboração de sermões de maneira tal que o aluno, desde o início, aprenda a preparar mensagens extraídas diretamente da Bíblia. Impressionou-me também a necessidade, em uma obra desta espécie, de uma quantidade suficiente de exemplos que ilustrem com clareza, passo a passo, os processos de construção de sermões. Espero, com este manual, ter conseguido, em certa medida, preencher essas necessidades, para que o livro seja útil aos alunos de institutos bíblicos e a todos aqueles que desejam aprender a preparar mensagens bíblicas.

Não reivindico originalidade para os métodos apresentados nos capítulos que se seguem. Algumas das feições dos três primeiros capítulos foram tiradas de uma aula de homilética ministrada pelo falecido dr. James M. Gray, quando ele era presidente do Instituto Bíblico Moody, de Chicago. O material sobre o processo de elaboração de sermões inclui algumas sugestões proveitosas do dr. Charles W. Koller, ex-presidente do Seminário Teológico Batista do Norte de Chicago, com quem tive o privilégio de estudar a pregação expositiva. Muitas outras sugestões úteis vieram de vários autores de homilética, e também aproveitei o conhecimento prático acumulado durante o período em que ensinei o assunto.

Os exercícios sugeridos no fim de vários capítulos ajudarão o aluno a praticar as técnicas aprendidas. Não se espera que ele faça todos, mas somente os que seu instrutor julgar necessários. Se o aluno encontrar dificuldade em fazer algum exercício, deve rever o capítulo e tentar novamente.

No que se refere à construção de sermões, gostaria de recomendar o uso de uma Bíblia em que os versículos estejam dispostos em parágrafos e os capítulos divididos em tópicos, uma concordância completa e um bom dicionário bíblico.

Contudo, embora o aluno, na preparação de mensagens, deva sentir-se livre quanto ao uso de obras de consulta, é nas Escrituras que ele deve concentrar seu estudo. Jamais deverá servir-se de esboços encontrados em livros. Ele deve formular os esboços dos próprios sermões. A princípio, a tarefa pode parecer difícil e cansativa; mas, à medida que aplicar com diligência os princípios contidos neste livro, mais e mais se tornará perito na preparação de mensagens bíblicas com estruturas homiléticas.

Devo afirmar, e fazê-lo enfaticamente, que o fator mais importante no preparo de sermões é a preparação do coração do próprio pregador. Nem conhecimento, nem aprendizagem, nem talentos naturais acumulados podem substituir o coração fervoroso, humilde e consagrado, que anseia cada vez mais por Cristo. Somente a pessoa que anda com Deus e leva uma vida santa pode inspirar outros a crescer na graça e no conhecimento de Cristo. Tal pessoa passará muito tempo a sós com Jesus, em comunhão diária, ininterrupta e prolongada com ele e sua Palavra.

O pregador também deve ser um homem de oração, que, de joelhos, aprendeu a arte do combate santo. Como Daniel, ele precisa ter o hábito de orar e encontrar tempo, ou melhor, tirar tempo para orar diária e regularmente, em particular. Seus sermões não serão, pois, produto de mero esforço intelectual, mas mensagens enviadas do céu em resposta à oração. E. M. Bounds, poderoso homem de oração, afirmou: "A oração coloca o sermão do pregador no coração do pregador; a oração coloca o coração do pregador no sermão do pregador".

Além disso, a pessoa que deseja pregar a Palavra deve, também, ser uma pessoa da Palavra. Tem de estudar as Escrituras não apenas com a intenção de obter uma mensagem para sua congregação, mas com o propósito de se alimentar delas. A Palavra de Deus deve tornar-se sua comida e bebida. Enquanto viver, é necessário passar muitas horas, todas as semanas, no estudo diligente da Bíblia. Deve saturar-se da Palavra de Deus até que ela lhe domine o coração e a alma, a ponto de, com Jeremias, poder dizer: "É como se um fogo ardesse em meu coração, um fogo dentro de mim. Estou exausto tentando contê-lo; já não posso mais!" (Jeremias 20.9).

Que o Senhor nos conceda, nestes dias de necessidades sem precedentes, homens de Deus que amem Jesus Cristo acima de tudo e preguem sua Palavra de forma que atraia e ganhe muitos para ele.

JAMES BRAGA

" 'O profeta que tem um sonho, conte o sonho,
e o que tem a minha palavra, fale a minha palavra
com fidelidade. Pois o que tem a palha a ver com o
trigo?', pergunta o SENHOR. 'Não é a minha palavra
como o fogo', pergunta o SENHOR, 'e como um
martelo que despedaça a rocha?' "
(Jeremias 23.28,29).

Prefácio à segunda edição

Passaram-se treze anos desde que a primeira edição deste livro foi ao prelo. Escrevi-o sob a pressão de um ministério de ensino e pregação e, depois de publicado, percebi nele áreas que precisavam de revisão ou de ampliação.

Por muito tempo, desejei fazer a revisão e os acréscimos necessários, e, quando os editores me pediram que atualizasse a bibliografia, vi a oportunidade de fazer essas mudanças como uma indicação da bondosa mão de Deus.

Os três primeiros capítulos foram originariamente escritos com o objetivo de proporcionar ao iniciante alguns princípios elementares que o capacitassem a construir um esboço básico de sermão sem ter de entrar nas complexidades da proposição e de outros processos homiléticos complicados. Decidi manter esse aspecto. Acrescentei, porém, vários itens, com o fim de tornar a preparação de mensagens bíblicas mais simples e estimulante. Espero, ao mesmo tempo, que o conteúdo desses capítulos ofereça aos alunos mais maduros algumas orientações valiosas sobre como extrair esboços de sermões de diferentes passagens da Bíblia.

Desejo também ressaltar que os métodos de preparação de sermões apresentados neste livro não são, de modo algum, as únicas formas aceitas. Outros meios existem, mediante os quais se pode comunicar a verdade. De acordo com o objetivo que tenha em mente ao preparar a mensagem, o pregador deve determinar para si mesmo a maneira mais eficaz de comunicar a verdade bíblica. Qualquer método escolhido deve tornar a mensagem clara e simples, de modo que todos compreendam o que Deus tem a dizer por meio do mensageiro. Sendo assim, ele seguirá o nobre exemplo dos levitas da época de Esdras e Neemias, que "leram o Livro da Lei de Deus, interpretando-o e explicando-o, a fim de que o povo entendesse o que estava sendo lido" (Neemias 8.8).

Ofereço ao público a edição revista de meu livro, pedindo ao Senhor que seja útil para capacitar muitos de seus servos na elaboração de mensagens.

Portland, Oregon

31 de julho de 1981

JAMES BRAGA

Primeira parte

Principais tipos de sermões bíblicos

"[...] para que em tudo tenha a supremacia" (Colossenses 1.18b).

1
O sermão temático

CLASSIFICAÇÃO DOS SERMÕES

Há muitos tipos de sermões e vários meios de classificá-los. Na tentativa de fazê-lo, os autores de obras de homilética usam definições que, às vezes, se sobrepõem. Alguns classificam os sermões de acordo com o conteúdo ou assunto; outros, segundo a estrutura; outros ainda quanto ao método psicológico usado no momento da apresentação da mensagem. Existem outros métodos, mas talvez o menos complicado seja a classificação em temáticos, textuais e expositivos. Estudaremos a preparação de mensagens bíblicas examinando esses três tipos principais.

DEFINIÇÃO DE SERMÃO TEMÁTICO

Começaremos a apresentação do sermão temático com uma definição que, se bem compreendida, dará ao aluno o domínio dos elementos básicos da redação temática.

> Sermão temático é aquele cujas divisões principais derivam do tema, independentemente do texto.

Examine com cuidado essa definição. A primeira parte afirma que as divisões principais devem ser extraídas do próprio tema do sermão. Isso significa que esse tipo de sermão tem início com um tema ou tópico e que suas partes principais consistem em ideias derivadas desse tema.

A segunda parte da definição declara que o sermão temático não requer um texto como base da mensagem. Isso não significa que a mensagem não seja bíblica, apenas que a fonte do sermão temático não é um texto bíblico.

Entretanto, para que se tenha a certeza de que o conteúdo da mensagem será totalmente bíblico, deve-se principiar com um assunto tirado da Bíblia. As principais divisões do esboço do sermão devem basear-se nesse tópico, e cada divisão principal precisa apoiar-se em uma referência bíblica. Os versículos nos quais se fundamentam as divisões principais devem ser, em geral, extraídos de porções bíblicas mais ou menos distantes umas das outras.

EXEMPLO DE SERMÃO TEMÁTICO

A fim de compreendermos com maior clareza a definição, trabalhemos juntos num esboço simples.

O tema escolhido será "Razões para a oração não respondida". Note que não estamos usando um texto, mas um tema bíblico. Desse tema, derivam-se as divisões principais. Portanto, precisamos descobrir as razões que a Bíblia apresenta para uma oração não ser respondida.

Meditando em várias partes das Escrituras referentes ao nosso tema e trazendo-as à mente, encontramos os seguintes textos, os quais indicam por que, com frequência, a oração fica sem resposta: Tiago 4.3; Salmos 66.18; Tiago 1.6,7; Mateus 6.7; Provérbios 28.9 e 1Pedro 3.7. É nesse momento que uma boa Bíblia com cadeia de referências, uma concordância bíblica completa ou uma Bíblia dividida em tópicos são de valor inestimável.

Com a ajuda dessas ferramentas, descobrimos as seguintes causas para a oração não respondida:

I. Pedir mal (Tiago 4.3);
II. Pecado no coração (Salmos 66.18);
III. Duvidar da Palavra de Deus (Tiago 1.6,7);
IV. Vãs repetições (Mateus 6.7);
V. Desobediência à Palavra (Provérbios 28.9);
VI. Procedimento irrefletido nas relações conjugais (1Pedro 3.7).

Aqui temos um esboço temático bíblico, cujas divisões principais derivam do tema — "Razões para a oração não respondida" — e são sustentadas por um versículo da Bíblia.

UNIDADE DE PENSAMENTO

Observe que o sermão temático contém uma ideia central. Em outras palavras, o esboço trata de um único tema: "Razões para a oração não respondida". Podemos pensar em muitos outros fatores importantes referentes à oração, tais como seu significado, sua importância, seu poder, seus métodos e os resultados obtidos. Contudo, segundo a definição de sermão temático, as partes principais do esboço devem basear-se no tema, isto é, devemos limitar o esboço à ideia contida no tema. Itens como o significado e a importância da oração devem ser omitidos, porque o tema restringe-se aos fatores que impedem a resposta de Deus à oração.

TIPOS DE TEMAS

A Bíblia trata de todas as fases concebíveis da vida e das atividades humanas. Também revela os propósitos de Deus na graça para com os homens, no tempo e na eternidade. Assim, a Bíblia contém uma fonte inesgotável de temas que o pregador pode selecionar para elaborar mensagens adequadas a qualquer ocasião ou condição em que as pessoas se encontrem. Mediante a busca constante e diligente da Palavra, o homem de Deus enriquecerá a própria alma com preciosidades da verdade divina e poderá partilhar sua riqueza espiritual com outros, para enriquecê-los também nas coisas que têm importância na vida temporal e na eternidade.

Do vasto tesouro da Escritura, podemos colher temas como: "Influências para o bem; pequenas coisas que Deus usa"; "Erros dos santos de Deus"; "Bênçãos por meio do sofrimento"; "Resultados da incredulidade"; "Atributos divinos que moldam o caráter"; "As ordenanças de Cristo"; "A satisfação do cristão"; "As mentiras do Diabo"; "Conquistas da cruz"; "Sinais do novo nascimento no cristão"; "Problemas que nos confundem"; "As glórias do céu"; "As âncoras da alma"; "Como combater as enfermidades espirituais"; "As riquezas do cristão"; "Conceitos bíblicos para a criação de filhos"; "Dimensões do serviço cristão" etc.

Mais adiante, neste capítulo, o aluno verá os princípios básicos para a construção das divisões principais dos esboços temáticos. O exame desses esboços mostrará ao leitor que eles não apenas possuem um tema, mas também um título que difere do tópico. Apresentamos, no capítulo 5, uma explicação completa sobre assunto, tópico, tema e título. Para o propósito presente, contudo, é importante notar que assunto, tópico e tema são sinônimos. O título é o nome dado ao sermão, e deve ser interessante e atraente.

ESCOLHA DE TEMAS

Aplicando-se ao estudo temático da Bíblia, o aluno descobrirá uma variedade tão grande de tópicos que, às vezes, não saberá como escolher o tema apropriado para a mensagem.

Na seleção do tema, deve-se, primeiramente, buscar a direção do Senhor, a qual nos será dada quando estivermos orando ou meditando na Palavra de Deus.

Outros fatores também influem na escolha do assunto. Por exemplo, ela pode ser determinada pelo tema sobre o qual o mensageiro é chamado a pregar ou por uma ocasião específica. É importante enfatizar que saber avaliar as circunstâncias que envolvem a congregação pode indicar a necessidade ou a conveniência de determinado tópico.

Embora o sermão temático não se baseie diretamente em um texto bíblico, o ponto de partida de uma ideia sobre a qual se desenvolve o esboço temático pode ser um versículo bíblico. Por exemplo, Gálatas 6.17 diz: "Sem mais, que ninguém me perturbe, pois trago em meu corpo as marcas de Jesus". Não há dúvida de que Paulo, nessa passagem, refere-se às cicatrizes deixadas em seu corpo por seus perseguidores. Eram marcas visíveis de que ele pertencia a Cristo para sempre.

Fontes extrabíblicas revelam que, quando Paulo escreveu as palavras citadas, o ferrete era usado para marcar não apenas animais, mas também seres humanos, deixando sinais na carne que jamais poderiam ser apagados ou removidos. Pelo menos três grupos de pessoas exibiam cicatrizes desse tipo: escravos, que eram posse de seus senhores; soldados, que às vezes marcavam a si mesmos com o nome do general a quem serviam, como prova de sua dedicação total; devotos que se apegavam para o resto da vida a um templo ou a uma divindade de sua adoração.

Com essa informação, construímos o esboço temático apresentado a seguir.

Título: As marcas de Jesus
Tema: As marcas de um cristão dedicado

I. Como o escravo, o cristão dedicado leva a marca da posse do Mestre a quem ele pertence (1Coríntios 6.19,20; Romanos 1.1)
II. Como o soldado, o cristão dedicado leva a marca da devoção ao Comandante a quem serve (2Timóteo 2.3; 2Coríntios 5.15)
III. Como o devoto, o cristão dedicado leva a marca de adorador do Mestre, a quem venera (Filipenses 1.20; 2Coríntios 4.5)

PRINCÍPIOS BÁSICOS PARA A PREPARAÇÃO DE ESBOÇOS TEMÁTICOS

1. As divisões principais devem vir em ordem lógica ou cronológica

Devemos ter como alvo desenvolver o esboço em progressão lógica ou cronológica, que será determinada pela natureza do tópico. Escolhemos como tema as verdades vitais referentes a Jesus Cristo, e assim construímos o seguinte esboço:

Título: Digno de adoração
Tema: Verdades vitais referentes a Jesus Cristo
I. Ele é Deus manifestado na carne (Mateus 1.23)
II. Ele é o Salvador dos homens (1Timóteo 1.15)
III. Ele é o Rei vindouro (Apocalipse 11.15)

Observe que o esboço está em ordem cronológica. Jesus Cristo, o Filho de Deus, primeiro encarnou, depois foi à cruz e deu a vida para tornar-se nosso Salvador e um dia voltará para reinar como Rei dos reis e Senhor dos senhores. Observe também que, de acordo com a definição de sermão temático, as divisões não são tiradas do título, mas do tema ou assunto. Isso se aplica a todos os esboços temáticos apresentados neste capítulo.

A seguir, mostramos outro exemplo de progressão, com as divisões dispostas em ordem lógica e o ponto mais importante na última parte. O tema trata das características da esperança do cristão.

Título: A esperança do cristão
Tema: Características da esperança do cristão
I. É uma esperança viva (1Pedro 1.3)
II. É uma esperança salvadora (1Tessalonicenses 5.8)
III. É uma esperança segura (Hebreus 6.19)
IV. É uma boa esperança (2Tessalonicenses 2.16)
V. É uma esperança invisível (Romanos 8.24)
VI. É uma esperança bendita (Tito 2.13)
VII. É uma esperança eterna (Tito 3.7)

2. As divisões principais podem ser uma análise do tópico

Na análise de um tópico, é preciso dividi-lo nas partes principais, de forma que cada divisão do esboço contribua para o conjunto da apresentação do tema. Tomemos como tópico os fatos principais a respeito de Satanás, apresentados na Bíblia.

Usando como título "Satanás, nosso arqui-inimigo", podemos analisar o tema da seguinte maneira:

Título: Satanás, nosso arqui-inimigo
Tema: Principais fatos bíblicos a respeito de Satanás

I. Sua origem (Ezequiel 28.12-17)
II. Sua queda (Isaías 14.12-15)
III. Seu poder (Efésios 6.11,12; Lucas 11.14-18)
IV. Suas atividades (2Coríntios 4.4; Lucas 8.12; 1Tessalonicenses 2.18)
V. Seu destino (Mateus 25.41)

Note que, se omitíssemos a segunda divisão principal desse esboço, não teríamos uma análise satisfatória do tópico, pois faltaria uma característica básica. É possível, contudo, que um estudo posterior de Satanás na Bíblia acrescente a esse esboço um ou dois pontos importantes. Observe também que, de acordo com a regra anterior, as divisões estão dispostas em ordem lógica.

3. As divisões principais podem apresentar várias provas de um tema

O esboço seguinte foi elaborado dessa maneira.

Título: Conhecendo a Palavra de Deus
Tema: Alguns benefícios do conhecimento da Palavra de Deus
I. O conhecimento da Palavra de Deus torna a pessoa sábia para a salvação (2Timóteo 3.15)
II. O conhecimento da Palavra de Deus impede-nos de pecar (Salmos 119.11)
III. O conhecimento da Palavra de Deus produz crescimento espiritual (1Pedro 2.2)
IV. O conhecimento da Palavra de Deus resulta em um viver vitorioso (Josué 1.7,8)

Observe que as divisões principais do esboço confirmam o tópico: cada afirmativa mostra um benefício do conhecimento da Palavra de Deus.

4. As divisões principais podem tratar um assunto por analogia ou por contraste com algo mais na Escritura

Um esboço temático desse tipo compara ou contrasta o assunto com algo a que se relacione na Bíblia. Por exemplo, lemos em

Mateus 5.13 que o Senhor Jesus disse: "Vocês são o sal da terra. Mas se o sal perder o seu sabor, como restaurá-lo? Não servirá para nada, exceto para ser jogado fora e pisado pelos homens". Um exame do contexto desse versículo indica claramente que Cristo se refere ao testemunho do cristão e o compara ao sal. Podemos, pois, elaborar um esboço com o título "Um testemunho eficaz", no qual cada divisão consista na comparação do testemunho do cristão com o sal.

Título: Um testemunho eficaz

Tema: Comparação do testemunho do cristão com o sal

I. Como o sal, o testemunho do cristão deve temperar (Colossenses 4.6)

II. Como o sal, o testemunho do cristão deve purificar (1Tessalonicenses 4.4)

III. Como o sal, o testemunho do cristão não deve perder o sabor (Mateus 5.13)

IV. Como o sal, o testemunho do cristão deve provocar sede (1Pedro 2.12)

5. As divisões principais podem ser repetições de uma palavra ou frase tirada da Escritura

A frase "Deus pode" ou "ele pode" ou "ele é poderoso" (na qual o pronome "ele" se refere ao Senhor) ocorre várias vezes na Bíblia. Tendo essa proposição como base de cada divisão principal, obtemos o esboço a seguir.

Título: A capacidade de Deus

Tema: Algumas coisas que Deus pode fazer

I. Ele pode salvar (Hebreus 7.25)

II. Ele pode guardar (Judas 24)

III. Ele pode socorrer (Hebreus 2.18)

IV. Ele pode subordinar (Filipenses 3.21)

V. Ele pode conceder graça (2Coríntios 9.8)

VI. Ele pode fazer muito mais do que pedimos ou pensamos (Efésios 3.20)

6. As divisões principais podem ter o apoio de uma palavra ou frase bíblica

Nesse caso, emprega-se a mesma palavra ou frase bíblica não no esboço, como na regra anterior, mas no suporte da afirmativa de cada divisão. Como exemplo, veja o esboço a seguir de um estudo da expressão "em amor", que ocorre seis vezes em Efésios. Usando fatos referentes à vida de amor como tema e apresentando cada referência bíblica no esboço, veremos que a expressão sustenta cada uma das divisões principais.

Título: A vida de amor
Tema: Fatos referentes à vida de amor

I. É fundada no propósito eterno de Deus (1.4,5)
II. É produzida pela habitação de Cristo (3.17)
III. Deve manifestar-se no relacionamento cristão (4.1,2; 4.15)
IV. Resultará na edificação e no crescimento da igreja (4.16)
V. É exemplificada pelo próprio Cristo (5.1,2)

O aluno descobrirá que é frequente a repetição de palavras e frases importantes na Bíblia. Às vezes, expressões significativas são repetidas no mesmo livro, como no exemplo dado. Essas ocorrências não são acidentais. Sem dúvida, as expressões foram assim registradas na Palavra de Deus para que demos a elas atenção especial. O livro de Salmos, as cartas de Paulo e a carta aos Hebreus são especialmente ricos em repetições de palavras e frases importantes. Um estudo pormenorizado do contexto imediato dessas palavras ou frases resultará em mensagens interessantes e proveitosas.

7. As divisões principais podem consistir em um estudo que mostre os diversos significados de uma palavra ou de várias palavras nas Escrituras

Esse estudo pode ser o exame de uma palavra na língua original. Mediante tal estudo, o pregador pode mostrar várias nuanças de significados, das quais a pessoa que lê em português talvez não tenha consciência. O verbo traduzido por "caminhar" na versão portuguesa do Novo Testamento, por exemplo, pode derivar de seis palavras diferentes em grego, as quais sugerem meios que nos levam a compreender esse verbo.

Esse estudo pode ser um exame do original, a fim de descobrir as acepções de uma palavra em grego ou em hebraico. Por exemplo, a palavra "honra", em grego, é usada em quatro sentidos diferentes no Novo Testamento. Com base no estudo de seu uso no texto original, obtemos o esboço a seguir.

Título: Estimativas de valores — de Deus ou do homem

Tema: Significados da palavra "honra" no Novo Testamento grego

I. Preço pago (1Coríntios 6.20)
II. Valor que alguns homens dão a regras e ensinamentos humanos (Colossenses 2.22,23)
III. Estima ou respeito conferido a outrem (1Timóteo 1.17; Hebreus 2.9)
IV. O valor de Cristo para o cristão (1Pedro 2.7)

Não é preciso conhecer grego ou hebraico para desenvolver um estudo desse tipo. Uma boa concordância bíblica, um dicionário expositivo do Novo Testamento e outras ferramentas gramaticais capacitarão o aluno que não conhece as línguas bíblicas originais a fazer uma valiosa pesquisa semântica.

Do mesmo modo, ele poderá investigar uma palavra ou frase bíblica importante por toda a Escritura, observando-a em seu contexto e estudando-a indutivamente. Em outras palavras, procuramos todas as referências específicas de certa palavra ou frase e a seguir comparamos, analisamos e classificamos nossas observações, tentando chegar a conclusões válidas com referência a ela.

Tomemos por exemplo a palavra "pequei". Com o uso de uma concordância, descobrimos que essa expressão ocorre 21 vezes no Antigo e Novo Testamentos (*NVI*). Examinando o contexto de cada uma dessas referências e também comparando e analisando as palavras, verificamos que "pequei" nem sempre denota verdadeira confissão de pecados. Classificamos, então, nossas observações e as dispomos em forma de esboço. Sob o título "Confissões — falsas ou verdadeiras", mostramos que a palavra "pequei", usada por diversas pessoas na Bíblia, pode ter diferentes significados:

I. Expressão de temor, como no caso do faraó (Êxodo 9.27; 10.16), de Acã (Josué 7.20) e de Simei (2Samuel 19.20);
II. Expressão de insinceridade, como no caso de Saul (1Samuel 15.24,30);
III. Expressão de remorso, como no caso de Saul (1Samuel 26.21), e de Judas (Mateus 27.4);
IV. Expressão de verdadeiro arrependimento, como no caso de Davi (2Samuel 12.13; Salmos 51.4), de Neemias (Neemias 1.6) e do filho perdido (Lucas 15.18,21).

8. As divisões principais não devem apoiar-se em textos de prova fora do contexto

Há sempre o perigo, nos estudos de tópicos, de empregar um texto fora do contexto. Portanto, o pregador deve cuidar para que cada passagem bíblica contida no esboço e citada em apoio à sua afirmativa esteja exatamente de acordo com o propósito óbvio do autor.

SERMÕES DOUTRINÁRIOS

O estudo temático presta-se muitíssimo bem à elaboração do sermão doutrinário. A doutrina escolhida fornece o tema, que deve limitar-se a um aspecto dela apenas. Por exemplo, podemos escolher o significado da redenção como tema e selecionar algumas passagens-chave como base do esboço. Se, porém, quisermos aprender toda a verdade sobre determinada doutrina, será necessário considerar a Bíblia toda, anotando todas as referências a essa doutrina. Depois de estudar cada uma dessas referências em seu contexto, juntamos, analisamos e classificamos nossas descobertas e obtemos, assim, uma base bíblica sadia para as conclusões.

SÉRIE DE MENSAGENS TEMÁTICAS

A preparação de esboços temáticos possibilita o desenvolvimento de um conjunto de mensagens sobre um assunto. Nesse caso, também, a variedade da série quase não tem limites, mas o espaço não nos permite mais que alguns exemplos.

"Retratos do homem perfeito" servirá de título geral para a seguinte série de sermões:

O amor de Jesus
O rosto de Jesus
As mãos de Jesus
As lágrimas de Jesus
A cruz de Jesus
O sangue de Jesus
O nome de Jesus

Os exemplos de esboços temáticos dados neste capítulo devem deixar claro que as divisões principais das mensagens, em uma série como essa, não provêm dos títulos, mas dos temas a eles relacionados. Por exemplo, para construir um sermão temático intitulado "O amor de Jesus", podemos usar qualquer destes pontos: "Características do seu amor", "Manifestações do seu amor" ou "Os objetos do seu amor".

O mensageiro pode escolher, caso sinta a necessidade de seus fiéis conhecerem certas formas de erro, o título geral "Erros espirituais comuns" e usar as seguintes sugestões como títulos da série:

O erro da organização Testemunhas de Jeová
O erro do mormonismo
O erro da organização Ciência Cristã
O erro do adventismo
O erro do unitarismo
O erro do espiritismo

"Vida em plano mais elevado" pode formar a base de uma série de sermões com títulos como estes:

A vida disciplinada
A vida consagrada
A vida contente
A vida de oração
A vida abundante

Outra excelente série pode intitular-se "Vida cristã vitoriosa", com os seguintes títulos:

Como ser um cristão que cresce
Como ser um cristão espiritual
Como ser um cristão útil
Como ser um cristão tranquilo
Como ser um cristão feliz
Como ser um cristão vitorioso

Um plano que tenha significado especial para a época em que vivemos pode-se chamar "O lar cristão" e incluir títulos como:

O fundamento do lar cristão
O relacionamento da esposa com o marido e com Cristo
A responsabilidade do marido com a esposa e com Cristo
Privilégios da paternidade
Disciplina no lar
Devoções familiares
Ameaças ao lar cristão
Vida familiar feliz

"A Bíblia examinada" pode servir a outro grupo de mensagens, com os títulos:

A Bíblia é verdadeira?
A Bíblia se contradiz?
A Bíblia tem aplicação?
Como compreender a Bíblia?
Pode-se confiar na tradução da Bíblia?

O estudo dos assuntos mais importantes de um livro ou de um conjunto de livros da Bíblia também poderá sugerir uma série de sermões. Consideremos a primeira e a segunda cartas aos Tessalonicenses como exemplo. Essas cartas tratam de vários assuntos doutrinários, e delas podemos aprender o que Paulo ensinou àqueles primeiros cristãos a respeito de Deus, de Jesus Cristo, do Espírito Santo, do evangelho, do caminho da salvação, da segunda vinda de Cristo, dos cristãos e de Satanás. Cada um desses oito itens pode ser encontrado em uma ou em ambas as cartas.

Tomando como exemplo a segunda vinda de Cristo, verificamos que todos os capítulos da primeira carta a mencionam. Assim, obtemos o esboço a seguir.

Título: A felicidade da esperança do cristão

Tópico: Efeitos que a esperança da segunda vinda de Cristo produz no cristão

I. Produz paciência (1.10)
II. Assegura recompensa pelo trabalho (2.19)
III. Satisfaz os anseios de santidade (3.13)
IV. Dá consolo em meio à aflição (4.13)
V. Enriquece a oração (5.23)

No estudo das cartas aos Tessalonicenses, descobrimos mais um assunto. A palavra "irmãos" ocorre nada menos que 23 vezes nas duas cartas, segundo a Nova Versão Internacional: 16 na primeira e 7 na segunda. Examinando o uso dessa palavra em seu contexto, podemos separar outro grupo interessante de mensagens.

Finalmente, na apresentação de qualquer série de mensagens, precisamos observar duas importantes regras. Em primeiro lugar, ela deve ser breve. Ainda que o tema seja bem desenvolvido e bastante variado, a congregação pode perder o interesse se a apresentação da série, por mais importante que seja, ultrapassar determinado tempo. Em segundo lugar, a série deve mostrar ordem ou progressão. Um arranjo malfeito de sermões relacionados não é tão eficaz quanto aquele cujas mensagens são planejadas com cuidado e em uma ordem apropriada. A série, quando é adequadamente organizada, permitirá que a congregação observe facilmente a relação entre as mensagens. Servirá também para aumentar o interesse, conforme a progressão dos temas tratados.

CONCLUSÃO

O desenvolvimento total do esboço temático contém mais instruções, mas o aluno que acompanhou a discussão neste capítulo pode aprender a elaborar o esboço básico de uma mensagem bíblica temática mediante aplicação cuidadosa dos princípios aqui contidos.

EXERCÍCIOS

1. Prepare um esboço temático usando um dos temas relacionados na seção "Tipos de temas". Assegure-se de que todas as divisões derivem do tema e tenham apoio bíblico sadio.
2. Prepare um esboço temático com um tema de sua escolha e sustente cada divisão principal com uma passagem bíblica adequada. Atente para os princípios sugeridos neste capítulo.
3. Faça uma relação de temas apropriados para o culto do Dia das Mães e prepare um esboço temático de cada um deles.
4. Procure uma palavra ou frase importante que ocorra repetidas vezes em um livro do Novo Testamento e desenvolva um esboço temático das repetições dessa palavra ou frase.
5. Relacione seis títulos para uma série de mensagens sobre um assunto geral. Disponha os títulos em uma ordem que ofereça a apresentação mais eficaz e desenvolva um esboço sobre um tema relacionado com um dos seis títulos.
6. De acordo com a regra 4 dos "Princípios básicos para a preparação de esboços temáticos", desenvolva um esboço intitulado "Joias de Deus", cujas divisões comparem os filhos de Deus com as joias.
7. Examine a carta aos Filipenses e faça uma relação de cinco de seus aspectos doutrinários. Formule um esboço temático da mesma carta sobre qualquer um desses cinco itens.
8. Com o auxílio de uma concordância, prepare um estudo da palavra "perdoar".

2
O sermão textual

DEFINIÇÃO

O sermão textual tem um discurso diferente do sermão temático. Neste, iniciamos com um tema; naquele, começamos com um texto.

> Sermão textual é aquele em que as divisões principais são derivadas de um texto constituído de um breve trecho da Bíblia. Cada uma dessas divisões é usada como linha de sugestão, e o texto fornece o tema do sermão.

O exame dessa definição deixa claro que, no sermão textual, as linhas principais de desenvolvimento são tiradas do próprio texto. Dessa maneira, o esboço principal mantém-se estritamente dentro dos limites do texto.

O texto pode consistir em apenas uma linha de um versículo bíblico, em um versículo todo ou, até mesmo, em dois ou três versículos. Os autores de livros de homilética não definem especificamente a extensão da passagem no sermão textual, mas, para nosso propósito, será limitada ao máximo em três versículos.

A segunda parte da definição afirma que cada divisão principal originada do texto "é usada como linha de sugestão", ou seja, as divisões principais sugerem os pontos a serem discutidos na mensagem. Às vezes, o texto é tão rico e completo que dele podemos extrair muitas verdades ou aspectos que servirão para o desenvolvimento das ideias contidas no esboço. Outras vezes, pode ser necessário recorrer a outros textos da Bíblia com o objetivo de ampliar as divisões principais. Em outras palavras, as divisões principais do esboço textual devem provir do próprio texto, mas o desenvolvimento pode originar-se ou do texto ou de outras passagens bíblicas.

A definição afirma ainda que "o texto fornece o tema do sermão". Em contraste com o sermão temático, que se inicia com um tópico ou tema, o sermão textual inicia com um texto, que indicará a ideia dominante da mensagem.

EXEMPLOS DE ESBOÇOS DE SERMÕES TEXTUAIS

Como primeiro exemplo, tomemos Esdras 7.10: "Pois Esdras tinha decidido dedicar-se a estudar a Lei do SENHOR e a praticá-la, e a ensinar os seus decretos e mandamentos aos israelitas". Muitas vezes, é útil consultar uma tradução moderna, como esta da NVI, para obter um significado mais claro da passagem.

Examinando o texto com cuidado, observamos que o versículo todo tem como centro o propósito do coração de Esdras, e, com base nisso, traçamos as seguintes divisões do versículo:

I. Estava disposto a conhecer a Palavra de Deus: "Esdras tinha decidido dedicar-se a estudar a Lei do SENHOR [...]";
II. Estava disposto a obedecer à Palavra de Deus: "[...] e a praticá-la [...]";
III. Estava disposto a ensinar a Palavra de Deus: "[...] e a ensinar os seus decretos e mandamentos aos israelitas".

Um bom tema, obtido das ideias sugeridas no texto, pode ser, portanto, "O propósito do coração de Esdras".

Cada uma das divisões principais, segundo a definição, agora é usada como "linha de sugestão" e indica o que vamos dizer acerca do texto.

Na primeira divisão principal, falaremos do propósito do coração de Esdras de conhecer a Palavra de Deus. Contudo, Esdras 7.10 não apresenta detalhes ou informações suficientes para o desenvolvimento da primeira divisão principal. Por isso, precisamos recorrer a outros textos bíblicos.

Examinando o contexto de Esdras 7.10, descobrimos que o versículo 6 do mesmo capítulo diz: "Era um escriba que conhecia muito a Lei de Moisés dada pelo SENHOR, o Deus de Israel". Os versículos 11, 12 e 21 também se referem a Esdras como "escriba da Lei de Deus". Os versículos 14 e 25 indicam ainda que até mesmo Artaxerxes, rei da Pérsia, reconhecia que Esdras tinha conhecimento da Lei. Eis, portanto, um homem que, embora conhecesse bem a lei divina, não se contentou com o conhecimento que possuía, mas se entregou ao estudo a fim de saber mais. E ele o fez em meio às armadilhas e à corrupção de uma corte pagã, onde, é evidente, era muito respeitado.

Enquanto Esdras lia a Palavra de Deus, determinadas passagens dos livros históricos e de Salmos, sem dúvida, lhe causaram grande impressão. No livro de Josué, ele pode ter lido: "Não deixe de falar as palavras deste Livro da Lei e de meditar nelas de dia e de noite, para que você cumpra fielmente tudo o que nele está escrito. Só então os seus caminhos prosperarão e você será bem-sucedido" (1.8). Provérbios 8.34,35 pode ter-lhe chamado a atenção: "Como é feliz o homem que me ouve, vigiando diariamente à minha porta, esperando junto às portas da minha casa. Pois todo aquele que me encontra, encontra a vida e recebe o favor do SENHOR". Talvez tenha ouvido o Senhor desafiar seu coração em Jeremias 29.13: "Vocês me procurarão e me acharão quando me procurarem de todo o coração". Certamente, passagens como essas teriam impressionado o escriba versado na Lei e o teriam inspirado a buscar, de todo o coração, conhecê-la ainda mais intimamente.

Podemos resumir a primeira divisão principal em duas breves subdivisões. Note uma vez mais a primeira divisão principal: "[...]

tinha decidido dedicar-se a estudar a Lei do SENHOR [...]" e observe como ela conduz nosso pensamento às subdivisões ou como oferece sugestões sobre o que dizer a respeito do texto.

1. Em uma corte pagã
2. De uma maneira completa

A segunda divisão principal do esboço de Esdras 7.10 diz: "Estava disposto a obedecer à Palavra de Deus". De acordo com a definição do sermão textual, essa divisão agora se transforma em uma linha de sugestão, indicando o que deve ser discutido sob esse título. Assim, devemos de alguma forma tratar da obediência de Esdras à Palavra de Deus e, portanto, apresentar as seguintes subdivisões:

1. Para prestar uma obediência pronta
2. Para prestar uma obediência completa
3. Para prestar uma obediência contínua

O versículo 10 não descreve o tipo de obediência à Palavra de Deus que Esdras havia assumido, mas podemos colher isso em outras partes do livro, especialmente nos capítulos 9 e 10.

Sob a terceira divisão principal, que diz: "Estava disposto a ensinar a Palavra de Deus", pode-se desenvolver as seguintes subdivisões:

1. Com clareza
2. Ao povo de Deus

O texto não diz que Esdras planejava ensinar a Palavra de Deus a fim de tornar compreensível o seu sentido, mas esse detalhe é esclarecido em Neemias 8.5-12.

Ao fazer o esboço de Esdras 7.10 em sua totalidade, deve-se tornar ainda mais claro que cada divisão principal obtida do texto serve como linha de sugestão. As subdivisões não passam de um desenvolvimento das ideias contidas nas respectivas divisões principais. O material das subdivisões, porém, é extraído de outras partes das Escrituras.

Título: Dando prioridade às coisas importantes
Assunto: O propósito do coração de Esdras

I. Estava disposto a conhecer a Palavra de Deus...
   1. ... numa corte pagã...
   2. ... de maneira completa
II. Estava disposto a obedecer à Palavra de Deus...
   1. ... prestando uma obediência pronta
   2. ... prestando uma obediência completa
   3. ... prestando uma obediência contínua
III. Estava disposto a ensinar a Palavra de Deus...
   1. ... com clareza
   2. ... ao povo de Deus

Observe que o título é diferente do tema. Para uma explicação completa dos títulos de sermões, veja o capítulo 5. Convém mencionar aqui, porém, que o tema do sermão, quando é suficientemente interessante, pode também servir de título.

Para o segundo exemplo de esboço de sermão textual, usaremos Isaías 55.7: "Que o ímpio abandone o seu caminho, e o homem mau, os seus pensamentos. Volte-se ele para o SENHOR, que terá misericórdia dele; volte-se para o nosso Deus, pois ele dá de bom grado o seu perdão". As subdivisões desse esboço não foram tiradas totalmente do texto, pois a terceira subdivisão da última divisão principal provém de outras partes da Bíblia.

Título: A bênção do perdão
Assunto: O perdão divino

I. O objetivo do perdão divino: "Que o ímpio abandone o seu caminho"
   1. O ímpio (lit. "os que são vis externamente")
   2. O homem mau (lit. "os que são pecadores 'respeitáveis' ")
II. As condições do perdão divino: "[...] abandone o seu caminho [...] Volte-se para o SENHOR"
   1. O pecador deve deixar o mal
   2. O pecador deve converter-se a Deus

III. A promessa do perdão divino: "[...] que terá misericórdia dele [...] porque ele dá de bom grado o seu perdão"
1. Um perdão misericordioso
2. Um perdão abundante
3. Um perdão completo (Salmos 103.3; Miqueias 7.18,19; 1João 1.9)

Esses exemplos devem ser suficientes para mostrar que as divisões principais no esboço textual devem ser tiradas do versículo ou dos versículos que formam a base da mensagem, ao passo que as subdivisões podem ser extraídas do mesmo texto ou de outros textos relacionados, desde que as ideias contidas nelas sejam o desenvolvimento adequado das respectivas divisões principais.

Quando as divisões principais e as subdivisões são tiradas do mesmo texto e expostas de maneira estrutural, esse texto é tratado expositivamente.

Vejamos agora os aspectos principais do sermão textual. Outras informações a respeito do método de desenvolvimento das divisões principais e das subdivisões, além de exemplos adicionais de esboços textuais, são apresentadas no capítulo 8.

PRINCÍPIOS BÁSICOS PARA A PREPARAÇÃO DE ESBOÇOS TEXTUAIS

1. O esboço textual deve girar em torno de uma ideia central, e as divisões principais devem ampliar ou desenvolver essa ideia

Na preparação do sermão textual, uma das primeiras tarefas do pregador é fazer um estudo completo do texto, descobrir nele a ideia dominante e verificar as divisões principais que dele surgem (v. cap. 9). Cada divisão transforma-se, pois, em uma ampliação ou no desenvolvimento do assunto. No exemplo de Esdras 7.10, o tema é "O propósito do coração de Esdras", e cada uma das divisões principais, obtidas do texto, desenvolve essa ideia dominante.

James M. Gray, certa vez, deu a seus alunos um esboço textual sobre Romanos 12.1, que diz: "Portanto, irmãos, rogo-lhes pelas misericórdias de Deus que se ofereçam em sacrifício vivo, santo e agradável a Deus; este é o culto racional de vocês". Usando o sacrifício do cristão como tema, Gray traçou as seguintes divisões principais do versículo:

I. A razão do sacrifício: "Portanto, irmãos, rogo-lhes pelas misericórdias de Deus [...]";
II. O que deve ser sacrificado: "[...] que se ofereçam [...]";
III. As condições do sacrifício: "[...] em sacrifício vivo, santo e agradável a Deus [...]";
IV. A obrigação do sacrifício: "[...] este é o culto racional de vocês".

O seguinte esboço de Salmos 23.1 é desenvolvido com base na ideia dominante do "relacionamento do Senhor com o cristão".

Título: Jesus é meu
I. É um relacionamento seguro: "O SENHOR é o meu pastor"
II. É um relacionamento pessoal: "O SENHOR é o meu pastor"
III. É um relacionamento presente: "O SENHOR é o meu pastor"

Ao preparar um esboço textual, às vezes descobrimos que as divisões principais de alguns textos são tão óbvias que provavelmente não teremos dificuldade em encontrar o relacionamento com a ideia dominante. Mas, em geral, é melhor descobrir primeiro o assunto do texto, pois ficará mais fácil distinguir as divisões principais.

2. As divisões principais podem consistir em verdades ou princípios sugeridos pelo texto

O esboço do sermão textual não precisa consistir em uma análise do texto. Ao contrário, as verdades ou princípios sugeridos pelo texto podem formar as divisões principais.

Leia João 20.19,20 e observe que, no esboço que damos a seguir, as verdades espirituais expressas nas divisões principais são extraídas do texto.

Título: A alegria da Páscoa
Assunto: Semelhanças entre o povo de Deus e os discípulos

I. À semelhança dos discípulos, o povo de Deus, às vezes, encontra-se perturbado, sem consciência da presença de Cristo (v. 19a)
   1. Encontra-se, às vezes, profundamente perturbado por causa de circunstâncias adversas
   2. Encontra-se, às vezes, desnecessariamente perturbado em meio a circunstâncias adversas

II. À semelhança dos discípulos, o povo de Deus experimenta o consolo de Cristo... (v. 19b,20a)
   1. ... por sua vinda quando mais dele precisam
   2. ... por intermédio das suas palavras

III. À semelhança dos discípulos, o povo de Deus alegra-se com a presença de Cristo (v. 20b)
   1. Alegra-se, embora as circunstâncias adversas não mudem
   2. Alegra-se, porque Cristo está em seu meio

Aplicando a mesma regra a Esdras 7.10 e tendo por tema os pontos essenciais do ensino bíblico eficaz, é possível extrair quatro verdades principais do texto:

Título: Ensino bíblico acima de qualquer expectativa
Assunto: Pontos essenciais do ensino bíblico eficaz

I. Exige determinação resoluta: "Esdras tinha decidido dedicar-se [...]";

II. Exige assimilação diligente: "[...] a estudar a Lei do SENHOR [...]";

III. Exige dedicação completa: "[...] e a praticá-la [...]";

IV. Exige pregação fiel: "[...] e a ensinar os seus decretos e mandamentos aos israelitas".

3. Dependendo da perspectiva, é possível encontrar mais de um tema ou ideia dominante em um texto, mas cada esboço deve desenvolver somente um assunto

Por meio do método da "abordagem múltipla", podemos examinar um texto sob diversos ângulos, usando uma ideia central diferente em cada caso, e, dessa forma, obter mais de um esboço.

Tomemos o texto de João 3.16: "Porque Deus tanto amou o mundo que deu o seu Filho Unigênito, para que todo o que nele crer não pereça, mas tenha a vida eterna". Usando as características distintivas da dádiva de Deus como ponto principal de ênfase, obtemos o seguinte esboço:

I. É uma dádiva de amor: " Porque Deus tanto amou o mundo [...]";
II. É uma dádiva sacrifical: "[...] que deu o seu Filho Unigênito [...]";
III. É uma dádiva universal: "[...] todo [...]";
IV. É uma dádiva condicional: "[...] que nele crer [...]";
V. É uma dádiva eterna: "[...] não pereça, mas tenha a vida eterna".

Examinando o mesmo texto de outro ponto de vista, tendo como ideia principal os aspectos vitais da vida eterna, o esboço será o seguinte:

I. Aquele que deu: "[...] Deus [...]";
II. O motivo de ele dar: "[...] tanto amou o mundo [...]";
III. O preço que ele pagou para dá-lo: "[...] que deu o seu Filho Unigênito [...]";
IV. A condição que diz respeito a nós: "[...] para que todo o que nele crer [...]";
V. A certeza de que a possuiremos: "[...] não pereça, mas tenha a vida eterna".

Por vezes, é melhor que o principiante com dificuldade para desenvolver um esboço com base na ideia principal de um texto tente mais de uma abordagem. Em outras palavras, que ele examine o versículo, como fizemos, de outros pontos de vista, buscando preparar um esboço com um tema diferente.

4. As divisões principais devem vir em sequência lógica ou cronológica

Embora nem sempre seja necessário seguir a ordem do texto, as divisões principais devem indicar um desenvolvimento progressivo de pensamento.

Tomando a primeira parte de João 3.36 como texto: "Quem crê no Filho tem a vida eterna", começamos com o tema "Fatos importantes referentes à salvação" e descobrimos as seguintes divisões:

I. Quem a provê: "O Filho";
II. A condição: "[...] crê [...]";
III. Sua disponibilidade: "Quem crê [...]";
IV. Sua certeza: "[...] tem [...]";
V. Sua duração: "[...] eterna".

Podemos dar a esse esboço o título "A vida que jamais termina". Note que o título difere do assunto, mas é por ele sugerido.

5. As próprias palavras do texto podem formar as divisões principais do esboço, desde que se refiram ao tema principal

Muitos são os textos que se prestam a um esboço óbvio. Eis um exemplo, baseado em Lucas 19.10: "Pois o Filho do homem veio buscar e salvar o que estava perdido".

Título: Por que Jesus veio?
I. O Filho do homem veio buscar o perdido
II. O Filho do homem veio salvar o perdido

É óbvio que nesse esboço o título e o tema são essencialmente os mesmos. Isso é também verdadeiro no exemplo seguinte, que se baseia em João 14.6: "Respondeu Jesus: 'Eu sou o caminho, a verdade e a vida. Ninguém vem ao Pai, a não ser por mim' ".

Título: O único caminho para Deus
I. Por intermédio de Jesus, o caminho
II. Por intermédio de Jesus, a verdade
III. Por intermédio de Jesus, a vida

Em nosso ministério, não devemos deixar de utilizar textos como esses, tão óbvios em sua estrutura. Entretanto, para o aluno que procura adquirir a habilidade de elaborar sermões textuais, é aconselhável evitar os esboços "fáceis" e concentrar seus melhores esforços em textos que lhe desafiem a mente.

6. O contexto do qual se tira o texto deve ser cuidadosamente observado e relacionado com ele

Para uma interpretação correta das Escrituras, é fundamental relacionar o texto com seu contexto. O desprezo a essa regra pode resultar em sérias distorções da verdade ou na incompreensão total da passagem estudada. Tomemos, como exemplo, Colossenses 2.21: " 'Não manuseie!', 'Não prove!', 'Não toque!' ". Se tirarmos esse versículo do contexto, provavelmente cometeremos o erro de supor que Paulo insiste em uma forma de ascetismo rigoroso. Mas, lido no seu contexto, Colossenses 2.21 refere-se a regras e regulamentos que os falsos mestres buscavam impor aos cristãos de Colossos.

Textos extraídos de partes históricas da Escritura também perdem a significação, a menos que se estude com cuidado seu relacionamento com o contexto. Esse detalhe se torna óbvio em Daniel 6.10: "Quando Daniel soube que o decreto tinha sido publicado, foi para casa, para o seu quarto, no andar de cima, onde as janelas davam para Jerusalém e ali fez o que costumava fazer: três vezes por dia ele se ajoelhava e orava, agradecendo ao seu Deus". As orações e ações de graças de Daniel nessa ocasião só assumem significação própria se forem relacionadas à ameaça contra a sua vida, descrita nos versículos anteriores.

7. Alguns textos contêm comparações ou contrastes que podem ser mais bem explorados pelo exame de suas similaridades ou diferenças propositadas

O tratamento de textos desse tipo dependerá da observação cuidadosa do conteúdo do versículo ou dos versículos em questão.

Em Hebreus 13.5,6, temos uma comparação estabelecida entre o que o Senhor disse e o que podemos dizer em consequência dessa afirmação. Uma rápida verificação nesses versículos torna óbvia a comparação: "Deus mesmo disse: 'Nunca o deixarei, nunca o abandonarei'. Podemos, pois, dizer com confiança: 'O Senhor é o meu ajudador, não temerei. O que me podem fazer os homens?' ".

Observe o contraste tríplice em Provérbios 14.11. Diz o texto: "A casa dos ímpios será destruída, mas a tenda dos justos florescerá". É evidente que a escolha de palavras foi propositada, a fim de dar ênfase à diferença entre os ímpios e os justos, a casa e a tenda, e a destruição daquilo que parece uma estrutura mais forte do ímpio em contraste com a permanência da estrutura mais fraca do justo.

Observe também os contrastes em 2Coríntios 4.17: "Pois os nossos sofrimentos leves e momentâneos estão produzindo para nós uma glória eterna que pesa mais do que todos eles". Nesse versículo, encontramos um contraste propositado entre o sofrimento presente e a recompensa futura, entre as dificuldades desta vida e as bênçãos vindouras.

Em Salmos 1.1,2, lemos: "Como é feliz aquele que não segue o conselho dos ímpios, não imita a conduta dos pecadores, nem se assenta na roda dos zombadores! Ao contrário, sua satisfação está na lei do SENHOR, e nessa lei medita dia e noite". O esboço seguinte sugere como tratar um texto que contém um contraste, como o encontrado aqui.

Título: O homem feliz
Assunto: Dois aspectos do caráter piedoso
I. O aspecto negativo: separação dos que praticam o mal (v. 1)
II. O aspecto positivo: devoção à lei de Deus (v. 2)

8. Dois ou três versículos, tirados de partes diferentes da Escritura, podem ser reunidos e tratados como se fossem um texto único

Em vez de usar um ou dois desses versículos para apoiar a primeira divisão principal e o restante para sustentar a segunda, podemos uni-los como se fossem um só texto e dessa combinação extrair as divisões principais.

Tal combinação deve ser feita somente quando os versículos têm relacionamento definido. Feita corretamente, uma mensagem textual desse tipo torna-se um meio valioso de reforçar a verdade espiritual. Tomemos, por exemplo, Atos 20.19,20 e 1Coríntios 15.10.

Note que essas duas passagens tratam do ministério do apóstolo Paulo:

> "Servi ao SENHOR com toda a humildade e com lágrimas, sendo severamente provado pelas conspirações dos judeus. Vocês sabem que não deixei de pregar-lhes nada que fosse proveitoso, mas ensinei-lhes tudo publicamente e de casa em casa". (Atos 20.19,20)
>
> "Mas, pela graça de Deus, sou o que sou, e sua graça para comigo não foi inútil; antes, trabalhei mais do que todos eles; contudo, não eu, mas a graça de Deus comigo." (1Coríntios 15.10)

I. Deve ter sido um ministério humilde: "Servi ao SENHOR com toda a humildade [...]"

II. Deve ter sido um ministério fervoroso: "[...] e com lágrimas [...]"

III. Deve ter sido um ministério fiel: "[...] não deixei de pregar-lhes [...]"

IV. Deve ter sido um ministério de ensino: "[...] ensinei-lhes tudo publicamente [...]"

V. Deve ter sido um ministério trabalhoso: "[...] trabalhei mais do que todos eles [...]"

VI. Deve ter sido um ministério de poder divino: "[...] não eu, mas a graça de Deus comigo"

Um título adequado para esse esboço seria: "O ministério que faz diferença".

SÉRIE DE SERMÕES TEXTUAIS

Com um pouco de criatividade e mediante a escolha de um tema geral e de vários textos que tratam do assunto, as mensagens textuais podem ser facilmente dispostas em séries. Cada texto torna-se, então, a base de uma mensagem. Para nosso primeiro exemplo, escolhemos a palavra "vir" como base de uma série de mensagens intitulada "Os melhores segredos de Deus". Observe que cada texto contém o verbo "vir".

> "O segredo do discipulado", baseado em Mateus 19.21: "Jesus respondeu: 'Se você quer ser perfeito, vá, venda os seus bens e dê o dinheiro aos pobres, e você terá um tesouro nos céus. Depois, venha e siga-me' ".
>
> "O segredo do descanso", baseado em Mateus 11.28: "Venham a mim, todos os que estão cansados e sobrecarregados, e eu lhes darei descanso".
>
> "O segredo da confiança", baseado em Mateus 14.28,29: "'Senhor', disse Pedro, 'se és tu, manda-me ir ao teu encontro por sobre as águas'. 'Venha', respondeu ele. Então Pedro saiu do barco, andou sobre as águas e foi na direção de Jesus".
>
> "O segredo da satisfação", baseado em João 7.37: "No último e mais importante dia da festa, Jesus levantou-se e disse em alta voz: 'Se alguém tem sede, venha a mim e beba' ".

Outra série de mensagens textuais pode receber o título "Louvores dos inimigos de Cristo". É significativo notar que algumas das mais admiráveis afirmativas acerca de Cristo, registradas nos Evangelhos, vieram de homens que se opunham a ele ou o rejeitavam. Damos título a quatro dessas afirmativas para uma série intitulada "Os louvores dos inimigos de Cristo".

> "Mas os fariseus e os mestres da lei o criticavam: 'Este homem recebe pecadores e come com eles' " (Lucas 15.2). Título: "Jesus, o amigo dos pecadores".
>
> " 'O que estamos fazendo?', perguntaram eles. 'Aí está esse homem realizando muitos sinais miraculosos' " (João 11.47). Título: "Jesus, o operador de milagres".
>
> "Salvou os outros, mas não é capaz de salvar a si mesmo!" (Mateus 27.42). Título: "Jesus, o Salvador que não pode salvar-se".
>
> "Então Pilatos disse aos chefes dos sacerdotes e à multidão: 'Não encontro motivo para acusar este homem' " (Lucas 23.4). Título: "Jesus, o homem perfeito".

A Bíblia apresenta pelo menos sete ocasiões em que o Senhor chama um indivíduo pelo nome duas vezes seguidas. A repetição na Escritura tem o objetivo de dar ênfase, e o pregador pode utilizar algum ou todos esses chamados para uma interessante série de mensagens. Eis quatro desses chamados duplos:

> "Mas o Anjo do SENHOR o chamou do céu: 'Abraão! Abraão!' 'Eis-me aqui', respondeu ele. 'Não toque no rapaz', disse o Anjo. 'Não lhe faça nada. Agora sei que você teme a Deus, porque não me negou seu filho, o seu único filho' " (Gênesis 22.11,12). Título: "O chamado à confiança".
>
> "O SENHOR viu que ele se aproximava para observar. E então, do meio da sarça Deus o chamou: 'Moisés, Moisés!' 'Eis-me aqui', respondeu ele. Então disse Deus: 'Não se aproxime. Tire as sandálias dos pés, pois o lugar em que você está é terra santa' " (Êxodo 3.4,5). Título: "O chamado ao serviço".
>
> "Respondeu o SENHOR: 'Marta! Marta! Você está preocupada e inquieta com muitas coisas; todavia apenas uma é necessária. Maria escolheu a boa parte, e esta não lhe será tirada'" (Lucas 10.41,42). Título: "O chamado à comunhão".
>
> "Ele caiu por terra e ouviu uma voz que lhe dizia: 'Saulo, Saulo, por que você me persegue?' " (Atos 9.4). Título: "O chamado à submissão".

Todo mensageiro deve familiarizar-se com as "sete últimas palavras", isto é, as afirmativas de Cristo enquanto pregado na cruz. É importante que o pregador tenha pelo menos duas ou três mensagens baseadas nessas afirmativas e, à medida que o tempo permita, tente desenvolver uma série de mensagens para o período que antecede a Páscoa sobre todas as sete. A série toda pode intitular-se "Palavras da cruz", com títulos de sermões como estes:

> "Intercessão na cruz", baseado em Lucas 23.33,34. "Quando chegaram ao lugar chamado Caveira, ali o crucificaram com os criminosos, um à sua direita e o outro à sua esquerda. Jesus disse: 'Pai, perdoa-lhes, pois não sabem o que estão fazendo'. Então eles dividiram as roupas dele, tirando sortes".

"Salvação na cruz", baseado em Lucas 23.42,43. "Então ele disse: 'Jesus, lembra-te de mim quando entrares no teu Reino'. Jesus lhe respondeu: 'Eu lhe garanto: Hoje você estará comigo no paraíso' ".

"Afeição na cruz", baseado em João 19.25-27. "Perto da cruz de Jesus estavam sua mãe, a irmã dela, Maria, mulher de Clopas, e Maria Madalena. Quando Jesus viu sua mãe ali, e, perto dela, o discípulo a quem ele amava, disse à sua mãe: 'Aí está o seu filho', e ao discípulo: 'Aí está a sua mãe'. Daquela hora em diante, o discípulo a recebeu em sua família".

"Desprezado na cruz", baseado em Mateus 27.46. "Por volta das três horas da tarde, Jesus bradou em alta voz: 'Eloí, Eloí, lamá sabactâni?', que significa 'Meu Deus! Meu Deus! Por que me abandonaste?' ".

"Sede na cruz", baseado em João 19.28,29. "Mais tarde, sabendo então que tudo estava concluído, para que a Escritura se cumprisse, Jesus disse: 'Tenho sede'. Estava ali uma vasilha cheia de vinagre. Então embeberam uma esponja nela, colocaram a esponja na ponta de um caniço de hissopo e a ergueram até os lábios de Jesus".

"Triunfo na cruz", baseado em João 19.30. "Tendo-o provado, Jesus disse: 'Está consumado!' Com isso, curvou a cabeça e entregou o espírito".

O livro de Salmos oferece textos apropriados para uma série de sermões sobre os "Males comuns da humanidade". Para um sermão sobre a depressão, podemos escolher Salmos 42.11; sobre o temor, Salmos 56.3; sobre a culpa, Salmos 51.2,3; sobre problemas, Salmos 25.16,17; sobre o desapontamento, Salmos 41.9,10. O mesmo livro pode fornecer material para um grupo de mensagens sobre as "Bênçãos nos salmos", cada uma baseada na frase "Feliz é o homem que...". Uma mensagem pode ter o título "A felicidade do homem piedoso", tirada de Salmos 1.1; outra pode ser chamada "A felicidade do homem que perdoa", tendo por base Salmos 32.1,2. A consulta a uma concordância completa fornecerá a informação necessária para outras bem-aventuranças.

Outra série de mensagens pode versar sobre as "Reivindicações de Cristo", tirada das declarações "Eu sou" de Jesus no evangelho de João, tais como: "Eu sou o pão da vida", "Eu sou o bom pastor", "Eu sou o caminho, a verdade e a vida".

Os exemplos anteriores são suficientes para indicar ao aluno como é possível formular um plano de sermões textuais das Escrituras. Esse tipo de pregação ordenada dá continuidade de pensamento aos sermões e pode despertar grande interesse se forem adequadamente dispostos e desenvolvidos.

CONCLUSÃO

Ao terminar a discussão do sermão textual, notemos um esboço em 2Coríntios 5.21: "Deus tornou pecado por nós aquele que não tinha pecado, para que nele nos tornássemos justiça de Deus". Observe neste exemplo que, de acordo com a definição do sermão textual, as divisões principais são tiradas inteiramente do próprio texto, ao passo que as subdivisões não derivam necessariamente do texto, mas têm por base outras passagens bíblicas.

Título: O Salvador de pecadores
Assunto: Características de nosso Salvador

I. Ele é um Salvador perfeito
   1. Nunca pecou contra Deus ou contra o homem (João 18.38; 19.4; Mateus 27.3,4; 1Pedro 2.22)
   2. Foi íntima e exteriormente perfeito (Mateus 17.5; Hebreus 10.5-7; 1Pedro 1.19)

II. É um Salvador vicário
   1. Levou nossa culpa na cruz (Isaías 53.6; 1Pedro 2.24)
   2. Morreu para salvar-nos de nossos pecados (Romanos 4.25; 1Pedro 3.18)

III. É um Salvador que justifica
   1. É o meio, pela graça, de nossa justificação perante Deus (Romanos 3.24)

2. Torna-se nossa justiça mediante a fé em sua obra redentora (Romanos 3.21,22; 5.1; 1Coríntios 1.30)

O principiante, em geral, encontra muita dificuldade no preparo de esboços textuais. Isso deve-se ao fato de que sua formulação muitas vezes requer exame cuidadoso das divisões naturais do texto. Entretanto, essa dificuldade não deve constituir um obstáculo, mas um desafio para adquirir a capacidade de desenvolver sermões textuais. À medida que se dedica à tarefa, o aluno conquistará, talvez sem perceber, a habilidade de descobrir o esboço oculto no texto, além de familiarizar-se cada vez mais com preciosos trechos da Palavra de Deus.

O mensageiro aplicado também encontra outra recompensa nos sermões textuais — que se manifesta no momento da pregação. O jovem pregador, à medida que revelar as riquezas contidas no texto, notará como sua mensagem agrada os que têm a alma preparada para receber o alimento que até mesmo um único versículo da Escritura pode oferecer.

EXERCÍCIOS

1. Prepare um esboço textual sobre 1Tessalonicenses 2.8, com título, assunto e divisões principais. Nesse, e em todos os demais esboços textuais a serem preparados, escreva depois de cada divisão principal a parte do texto que lhe dá apoio.
2. Prepare um esboço textual sobre Tito 2.11-13, como no exercício anterior.
3. Procure um texto e, empregando o método de abordagem múltipla (v. p. 41), elabore dois esboços do mesmo texto. Escreva o texto por extenso e indique o título, o assunto e as divisões principais de cada esboço.
4. Use apenas a segunda parte de Salmos 51.7 como texto e formule um esboço, apresentando título, assunto e divisões principais.
5. Procure textos (não mais de três versículos) para cada uma das seguintes ocasiões:

a) um sermão para o Dia de Ano-Novo;
b) um sermão para o Dia dos Pais;
c) um sermão para culto de apresentação de bebê;
d) uma mensagem fúnebre para um pai (ou mãe) cristão;
e) um culto de casamento;
f) um culto evangelístico;
g) uma reunião de jovens;
h) uma mensagem missionária;
i) um culto de domingo de manhã;
j) uma mensagem para cristãos envolvidos na igreja.

Escreva cada texto por extenso, na ordem apresentada anteriormente, e dê um título apropriado a cada um.

6. Prepare um esboço textual sobre Daniel 6.10, indicando título, assunto e divisões principais.
7. Em Gênesis 39.20,21, há um contraste propositado entre os versículos 20 e 21. Faça um esboço baseado nessa passagem, com título, assunto e divisões principais.
8. A primeira parte de Êxodo 33.11 diz: "O SENHOR falava com Moisés face a face, como quem fala com seu amigo". Deuteronômio 34.10 diz: "Em Israel nunca mais se levantou profeta como Moisés, a quem o SENHOR conheceu face a face". Combine esses dois textos e prepare um esboço textual, com título, assunto e divisões principais dos versículos combinados.
9. Este capítulo contém os títulos para uma série de quatro mensagens sobre "Louvores dos inimigos de Cristo". Copie aqueles títulos e acrescente mais três "louvores", citando texto e dando título a cada um.
10. Faça a relação de uma série de cinco textos apropriados para o culto de ceia. Cite cada texto completo e dê um título a cada um. Prepare um esboço textual usando o primeiro texto em sua série de mensagens para ceia, com título, assunto e divisões principais.

3
O sermão expositivo

DEFINIÇÃO DE SERMÃO EXPOSITIVO

O sermão expositivo é o modo mais eficaz de pregação, porque ele forma, com o tempo, mais que todos os outros tipos de mensagem, uma congregação cujo ensino é fundamentado na Bíblia. Ao expor uma passagem da Escritura, o mensageiro cumpre a função primária da pregação, a saber, interpretar a verdade bíblica (o que nem sempre se pode dizer dos outros tipos de sermão).

> Sermão expositivo é aquele em que uma passagem mais ou menos extensa da Escritura é interpretada em função de um tema ou assunto. A maior parte do material desse tipo de sermão provém diretamente da passagem, e o esboço contém uma série de ideias progressivas que giram em torno de uma ideia principal.

Note que, de acordo com a definição, o sermão expositivo baseia-se em uma "passagem mais ou menos extensa da Escritura". A passagem pode consistir em poucos versículos ou incluir um capítulo inteiro ou, até mesmo, mais de um capítulo. Para o nosso objetivo, porém, usaremos um mínimo de quatro versículos, mas não estabeleceremos limite de número.

A definição também afirma que uma passagem mais ou menos extensa da Escritura é interpretada "em função de um tema ou assunto". James M. Gray dá ao grupo de versículos que formam a base do sermão expositivo o nome de "unidade expositiva", a qual, mais especificamente, consiste em um número de versículos dos quais emerge uma ideia central. Embora o sermão expositivo, como o sermão temático e o textual, gire em torno de um tema, nele o tema é extraído de vários versículos, não de apenas um ou dois.

A mesma definição declara que "a maior parte do material desse tipo de sermão provém diretamente da passagem". A mensagem expositiva não apresenta apenas as ideias principais da passagem. Os detalhes também são parte do material principal do sermão e devem ser corretamente explicados. Portanto, quando derivamos todas as subdivisões, bem como as divisões principais do mesmo trecho bíblico, e quando todas essas divisões são corretamente expostas ou interpretadas, podemos concluir que o esboço se baseia diretamente na passagem escolhida.

Devemos ter em mente, no decorrer do sermão expositivo, o tema da passagem e, à medida que desenvolvemos a ideia principal, adicionar ao esboço uma série de ideias progressivas relacionadas com o tema. Isso, sem dúvida, ficará mais claro para o leitor ao observar os exemplos dados neste capítulo.

Uma parte importante de nossa definição deve ser enfatizada: "Sermão expositivo é aquele em que uma passagem mais ou menos extensa da Escritura é interpretada". Examine com cuidado as últimas palavras. Na exposição, cabe-nos esclarecer ou elucidar o significado do texto bíblico. É essa a finalidade da pregação expositiva: tornar o significado das Escrituras claro e simples. Para tanto, precisamos estudar os detalhes até dominá-los (v. cap. 9). Lembre-se, porém, de que a elucidação de uma passagem bíblica deve ter como objetivo relacionar o passado com o presente, ou seja, mostrar que a verdade é aplicável aos dias de hoje.

DIFERENÇA ENTRE O SERMÃO TEXTUAL E O EXPOSITIVO

É importante, a esta altura, que se compreenda claramente a diferença entre o sermão textual e o expositivo.

Já vimos que o sermão textual é aquele em que as divisões principais derivam de um texto constituído de uma breve passagem bíblica, em geral um único versículo ou dois ou até mesmo parte de um versículo. No caso do sermão expositivo, o texto pode ser uma parte mais ou menos extensa da Bíblia — às vezes um capítulo inteiro ou até mais —, e as divisões provêm da passagem. Na mensagem textual, as divisões oriundas do texto são usadas como linha de sugestão, isto é, indicam a tendência do pensamento a ser seguido no sermão, permitindo que o pregador tire de qualquer parte da Escritura as subdivisões ou ideias para a elaboração do esboço, de acordo com o desenvolvimento lógico dos pensamentos contidos nas divisões principais. O sermão expositivo, por sua vez, obriga o pregador a extrair todas as subdivisões, bem como as divisões principais, da mesma unidade bíblica que pretende expor. Dessa maneira, o sermão todo consiste na exposição de uma passagem bíblica, que se converte no próprio tecido do discurso. Em outras palavras, a argumentação toda provém diretamente do texto, e o sermão torna-se, definitivamente, interpretativo.

Como afirmamos no capítulo 2, alguns textos, embora compreendam um único versículo ou dois, contêm tantos detalhes que podemos extrair da mesma passagem não apenas as divisões principais, mas também as subdivisões. Quando isso é feito, o sermão textual é tratado expositivamente, e o discurso todo passa a ser uma exposição do texto.

EXEMPLOS DE ESBOÇOS DE SERMÃO EXPOSITIVO

Como primeiro exemplo de esboço de sermão expositivo, usaremos Efésios 6.10-18. Para que o aluno siga o procedimento usado na elaboração do esboço, recomendamos que primeiro leia a passagem várias vezes e a estude com cuidado. Sugerimos repetir esse procedimento antes de examinar cada um dos outros esboços deste capítulo e no restante do livro.

Um exame, por breve que seja, de Efésios 6.10-18 leva-nos a concluir que Paulo trata da batalha espiritual do cristão e procura apresentar os vários aspectos relacionados a esse conflito, para que o filho de Deus possa tornar-se um guerreiro bem-sucedido.

Com um exame mais profundo, veremos que nos versículos 10 a 13 o apóstolo estimula o cristão a ser corajoso e firme em face de inimigos espirituais. Em outras palavras, Paulo refere-se, nesses versículos, ao moral do cristão. Os versículos 14 a 17 lidam com as diferentes partes da armadura que o Senhor providenciou para o cristão diante de inimigos sobre-humanos. Concluímos, portanto, que essa seção pode ser intitulada "A armadura do cristão". Mas, antes de terminar a discussão dos aspectos envolvidos nessa guerra espiritual, o apóstolo acrescenta o versículo 18. Nesse ponto, ele recomenda ao cristão vestido com a armadura de Deus que se entregue à oração incessante no Espírito e à intercessão perseverante por todos os santos. É óbvio, pois, que o aspecto final apresentado por Paulo, em conexão com o conflito espiritual, é a vida de oração do cristão. Agora estamos prontos para elaborar um esboço dos três aspectos principais ligados à guerra espiritual:

I. O moral do cristão (v. 10-13);
II. A armadura do cristão (v. 14-17);
III. A vida de oração do cristão (v. 18).

Examinando mais atentamente os versículos 10 a 13, vemos que o apóstolo acentua pelos menos dois aspectos do moral do cristão. Para começar, ele solicita ao cristão que, no conflito espiritual, ponha sua confiança no Senhor e, feito isso, permaneça firme (v. 11,13,14a), não importa que seus inimigos pareçam grandes e poderosos. No desenvolvimento do esboço expositivo, podemos descobrir duas subdivisões sob a divisão principal "Moral do cristão". Primeira: "O moral do cristão deve ser elevada"; segunda: "O moral do cristão deve ser firme".

Na segunda seção da unidade expositiva, a saber, nos versículos 14 a 17, observamos que as diferentes partes da armadura do cristão podem ser agrupadas em duas relações principais: as primeiras peças do equipamento constituem a armadura defensiva, e o último item da lista, a espada do Espírito, a armadura ofensiva. A propósito, é interessante notar que a armadura não provê proteção alguma para as costas, pela razão óbvia de que o Senhor não pretende que seus soldados se virem e fujam no dia da batalha.

A seção final, no versículo 18, também pode ser subdividida em duas partes. A primeira parte do versículo revela como a vida de oração do cristão deve ser persistente, enquanto a segunda diz que todo esse esforço deve ser feito a favor de outros.

Feitas essas observações, estamos prontos para apresentar o esboço completo, com todas as divisões principais e subdivisões oriundas da mesma passagem.

Título: O bom combate da fé
Assunto: Aspectos relacionados com a guerra espiritual do cristão
I. O moral do cristão... (v. 10-14a)
  1. ... deve ser elevado (v. 10)
  2. ... deve ser firme (v. 11-14a)
II. A armadura do cristão... (v. 14-17)
  1. ... deve ter caráter defensivo (v. 14-17a)
  2. ... deve também ter caráter ofensivo (v. 17b)
III. A vida de oração do cristão... (v. 18)
  1. ... deve ser persistente (v. 18)
  2. ... deve ser intercessora (v. 18b)

Para que o sermão seja verdadeiramente expositivo, devemos interpretar ou explicar corretamente as subdivisões, bem como as divisões principais. Dessa maneira, o pregador cumpre a finalidade da exposição, que é derivar da passagem a maior parte do material do sermão e expor seu conteúdo com relação a um único tema principal.

Selecionamos Êxodo 14.1-14 como segundo exemplo de sermão expositivo. Não podemos, a esta altura, examinar todos os procedimentos exegéticos dessa passagem, mas, enquanto não os compreendermos, não estaremos preparados para elaborar um sermão expositivo.

Entretanto, depois de fazer o exame cuidadoso do texto, estaremos prontos para construir um esboço da passagem bíblica. Escolhemos, como ponto principal, as lições a serem tiradas do "Beco sem saída", pois é óbvio que, como o povo de Israel no mar Vermelho, às vezes também nos encontramos em situações das quais não sabemos como nos livrar. Com essa ideia em mente, extraímos várias lições ou verdades do texto, como seguem:

I. Beco sem saída é o lugar a que, às vezes, Deus nos leva (v. 1-4a);
II. Beco sem saída é o lugar em que Deus nos prova (v. 4b-9);
III. Beco sem saída é o lugar em que, às vezes, falhamos com o Senhor (v. 10-12);
IV. Beco sem saída é o lugar em que Deus nos ajuda (v. 13,14).

Para ver como essas verdades foram derivadas do texto, volte à passagem uma vez mais e examine o desenvolvimento do esboço ponto por ponto.

Êxodo 14.1-14 não apenas oferece quatro lições principais, mas também todas as subdivisões para o esboço. O texto fornece, assim, a maior parte do material necessário para o sermão.

Agora apresentamos o esboço de Êxodo 14.1-14, mostrando as subdivisões sob suas respectivas divisões principais.

Título: Beco sem saída

I. Beco sem saída é o lugar a que, às vezes, Deus nos leva... (v. 1-4a)
   1. ... mediante ordem específica... (v. 1,2)
   2. ... para seus propósitos (v. 3-4b)
II. Beco sem saída é o lugar em que Deus nos prova... (v. 4b-9)
   1. ... no caminho da obediência... (v. 4b)
   2. ... permitindo que nos sobrevenham circunstâncias difíceis (v. 5-9)

III. Beco sem saída é o lugar em que, às vezes, falhamos com o Senhor... (v. 10-12)
   1. ... por nossa falta de fé (v. 10)
   2. ... por nossas reclamações (v. 11,12)
IV. Beco sem saída é o lugar em que Deus nos ajuda... (v. 13,14)
   1. ... no momento certo... (v. 13)
   2. ... tomando o controle (v. 14)

Uma vez mais, compare esse esboço com o texto e veja por si mesmo que as subdivisões, à semelhança das divisões principais, foram todas sugeridas pela passagem.

Baseamos nosso terceiro exemplo de sermão expositivo em um esboço sobre Lucas 19.1-10. Depois de um estudo exegético da passagem, tratamos esses versículos tendo por tema a conquista de Zaqueu, um homem "perdido". Que diz essa passagem acerca de nosso assunto? Examinando-a cuidadosamente, descobrimos os seguintes fatos principais, os quais fornecem a análise da passagem.

I. Buscando Zaqueu (v. 1-4)
II. Sendo amigo de Zaqueu (v. 5-7)
III. A salvação de Zaqueu (v. 8-10)

Examinemos a passagem mais cuidadosamente, agora, e consideremos o que o texto contém com respeito a esses pontos principais. O resultado de nosso estudo revela, sob a primeira divisão principal, dois aspectos relacionados com a busca de Zaqueu:

1. A busca que Jesus fez para encontrar Zaqueu foi conduzida sem estardalhaço;
2. A visita de Cristo a Jericó estimulou o coração de Zaqueu a interessar-se em vê-lo.

Na segunda divisão principal, vemos dois outros aspectos:

1. Jesus fez-se amigo de Zaqueu, o homem que não tinha amigos (v. 7), convidando-se para ir à casa dele!;

2. O convite que Jesus fez a si mesmo para ir à casa de Zaqueu teve duplo efeito — agradável sobre Zaqueu e desagradável sobre o povo de Jericó.

Sob a terceira divisão principal, encontramos os seguintes fatos:

1. A salvação de Zaqueu evidencia-se pela mudança extraordinária ocorrida imediatamente;
2. Cristo declara a salvação de Zaqueu em termos inconfundíveis.

A passagem deixa claro que Zaqueu, o pecador perdido, encontrou um amigo em Jesus, ou melhor, Jesus o encontrou! Escolhemos, pois, para título da mensagem, "Conquistado pelo amor".

Agora estamos prontos para organizar nosso esboço.

Título: Conquistado pelo amor

I. Buscando Zaqueu... (v. 1-4)
   1. ... seu modo (v. 1)
   2. ... seu efeito (v. 2-4)

II. Sendo amigo de Zaqueu... (v. 5-7)
   1. ... seu modo (v. 5)
   2. ... seus efeitos (v. 6,7)

III. A salvação de Zaqueu... (v. 8-10)
   1. ... sua evidência (v. 8)
   2. ... sua declaração (v. 9,10)

Examinando o esboço, vemos uma progressão natural de ideias, todas relacionadas com a conquista de Zaqueu, cujo clímax foi a salvação do chefe dos publicanos.

ANÁLISE ESTRUTURAL DE UMA PASSAGEM BÍBLICA

Muitos estudiosos da Bíblia acham proveitoso preparar a análise estrutural, isto é, a distribuição das frases e/ou termos da passagem a fim de evidenciar sua estrutura gramatical. A análise estrutural das afirmativas principais do texto torna-o mais significativo para nós. Devemos distinguir as orações principais e as subordinadas, providenciando espaço, arranjando uma série de palavras, frases ou orações de modo que se acentue sua relação. Também devemos ressaltar os verbos principais e as palavras ou ideias importantes, incluindo conectivos como "ora", "pois", "e", "mas", "então" e "portanto".

Usando esse procedimento, reproduzimos a seguir o texto de Lucas 19.1-10. Note que a disposição do texto nos ajuda não somente a analisar a passagem e ver suas partes principais, mas também a observar os pontos do trecho bíblico que, de outra forma, nos escapariam à atenção.

v. 1 Jesus entrou em Jericó, e atravessava a cidade.
v. 2 Havia ali um homem rico chamado Zaqueu, chefe dos publicanos.
v. 3 Ele queria ver quem era Jesus, mas, sendo de pequena estatura, não o conseguia, por causa da multidão.
v. 4 Assim, correu adiante e subiu numa figueira brava para vê-lo, pois Jesus ia passar por ali.
v. 5 Quando Jesus chegou àquele lugar, olhou para cima e lhe disse: "Zaqueu, desça depressa. Quero ficar em sua casa hoje".
v. 6 Então ele desceu rapidamente e o recebeu com alegria.
v. 7 Todo o povo viu isso e começou a se queixar: "Ele se hospedou na casa de um 'pecador' ".
v. 8 Mas Zaqueu levantou-se e disse ao Senhor: "Olha, Senhor! Estou dando a metade dos meus bens aos pobres; e se de alguém extorqui alguma coisa, devolverei quatro vezes mais".
v. 9 Jesus lhe disse: "Hoje houve salvação nesta casa! Porque este homem também é filho de Abraão.
v. 10 Pois o Filho do homem veio buscar e salvar o que estava perdido".

Apresentamos, a seguir, outro *layout* estrutural, de 1Tessalonicenses 4.13-18, que mostra como descobrimos a estrutura da passagem por meio das relações sintáticas entre as orações principais e as subordinadas e também mediante o relacionamento entre as orações completas e as incompletas.

Assunto: Nossa esperança com referência aos mortos em Cristo

I. Referente à nossa esperança (v. 13).

13. Irmãos, não queremos que vocês sejam ignorantes quanto aos que dormem, para que não se entristeçam como os outros que não têm esperança.

II. Bases para nossa esperança (v. 14,15).

14. Se cremos que Jesus morreu e ressurgiu,

1. A morte e ressurreição de Cristo.

cremos também que Deus trará, mediante Jesus e com ele, aqueles que nele dormiram.

2. A palavra do Senhor.

15. Dizemos a vocês, pela palavra do Senhor, que nós, os que estivermos vivos, os que ficarmos até a vinda do Senhor, certamente não precederemos os que dormem.

III. Cumprimento de nossa esperança (v. 16,17).

16. Pois, dada a ordem, com a voz do arcanjo e

1. A vinda do Senhor.

o ressoar da trombeta de Deus, o próprio Senhor descerá dos céus,

2. A ressurreição dos mortos em Cristo.

e os mortos em Cristo ressuscitarão primeiro.

3. O arrebatamento dos santos vivos.

17. Depois nós, os que estivermos vivos seremos arrebatados com eles nas nuvens, para o encontro com o Senhor nos ares. E assim estaremos com o Senhor para sempre.

IV. Exortação referente à nossa esperança (v. 18).

18. Consolem-se uns aos outros com essas palavras.

TIPOS DE MENSAGENS ERRONEAMENTE TIDAS COMO SERMÕES EXPOSITIVOS

Devemos mencionar que há dois tipos de sermões erroneamente considerados expositivos. A definição desses tipos de mensagens mostrará ao leitor que elas diferem do sermão expositivo em um ou mais aspectos importantes.

1. A homilia bíblica

Homilia bíblica é um comentário sobre uma passagem bíblica, longa ou curta, explicada e aplicada versículo por versículo ou frase por frase. Em geral, a homilia não possui estrutura homilética, pois consiste em uma série de observações sem a intenção de mostrar como as partes do texto ou do todo se relacionam, isto é, sem levar em conta a unidade ou a coesão estrutural.

2. A preleção exegética

Preleção exegética é um comentário detalhado de um texto, com ou sem ordem lógica ou aplicação prática. É importante que o mensageiro seja capaz de fazer um estudo exegético da Palavra de Deus. Contudo, o que a congregação deseja não é o processo do estudo, mas os resultados dele. A exegese interpreta o significado oculto da passagem; a exposição apresenta esse significado de maneira correta e eficaz.

Alguns autores de homilética fazem observações críticas a respeito da homilia bíblica e da preleção exegética. Contudo, alguns mensageiros parecem possuir o dom de descobrir no texto aspectos que requerem ênfase ou elucidação, de modo que suas mensagens, embora consistam em pequenos sermões desarticulados, são muito eficazes para o público a que se destinam.

PRINCÍPIOS BÁSICOS PARA A PREPARAÇÃO DE ESBOÇOS EXPOSITIVOS

1. Devemos estudar cuidadosamente a passagem bíblica escolhida, a fim de compreender seu significado e obter o assunto do texto

Uma das primeiras etapas do desenvolvimento do esboço expositivo é a descoberta do tema da passagem. Uma vez obtido o tema, em geral o desenvolvimento do esboço é simplificado. Para encontrar o tema principal da passagem, contudo, é necessário estudar o texto com cuidado (v. cap. 9).

Por mais que o queiramos, jamais conseguiremos ressaltar suficientemente a importância de um estudo benfeito da passagem.

O estudo cuidadoso dá ao mensageiro uma visão das Escrituras que ele não pode obter de outra maneira. Métodos superficiais, a esmo ou negligentes jamais farão um verdadeiro expositor. O ministério do ensino da Bíblia requer que o homem de Deus ponha o coração e a alma nessa tarefa, o que significa gastar horas em pesquisa trabalhosa e devotada, em concentração contínua, buscando a intenção do autor sagrado e o verdadeiro significado do trecho bíblico.

Como resultado de um estudo tão aplicado, o pregador adquirirá uma visão nova sobre o propósito da passagem. O texto todo, muitas vezes, será iluminado aos seus olhos, de modo que ele conseguirá descobrir verdades que antes lhe eram ocultas.

Nessa investigação do texto, mais cedo ou mais tarde o mensageiro descobrirá o assunto principal implícito na unidade expositiva, bem como as partes naturais em que ela pode ser dividida.

2. Palavras ou frases importantes do texto podem indicar ou formar as divisões principais do esboço

Já ressaltamos que a repetição de palavras ou frases significativas possui, em muitas passagens, um propósito especial, e é evidente que algumas dessas palavras ou frases têm a finalidade de indicar a transição de uma ideia importante a outra.

Como exemplo, vamos examinar os versículos 3 a 14 do primeiro capítulo da carta aos Efésios. Depois de ler a passagem, observe as repetições:

"[...] para o louvor da sua gloriosa graça [...]" (v. 6)
"[...] para o louvor da sua glória [...]" (v. 12)
"[...] para o louvor da sua glória [...]" (v. 14)

A repetição dessas frases leva-nos a perguntar se o Espírito de Deus tencionava que cada uma delas indicasse uma divisão de pensamento. Estudando o trecho com essa ideia em mente, descobrimos que o apóstolo trata da obra redentora divina. A primeira seção, que conclui com o versículo 6, descreve a obra de Deus Pai em nossa redenção; a segunda seção, que termina com o versículo 12, fala da obra de Deus Filho; a terceira seção, que consiste nos versículos 13 e 14, apresenta a obra de Deus Espírito Santo. De forma que a obra da redenção é atribuída às três pessoas da Trindade. Não é de admirar que o apóstolo exclame, no final de cada seção: "Para o louvor da sua glória"!

3. A ordem do esboço pode ser diferente da ordem da unidade expositiva

Em geral, é bom, mas nem sempre necessário, que as divisões principais e as subdivisões sigam a ordem exata dos versículos bíblicos. Pode ocorrer o caso de a ordem lógica ou cronológica determinar que as divisões principais ou as subdivisões sejam postas em uma sequência diferente daquela apresentada no texto.

Observe esboço de Êxodo 12.1-13, a seguir, no qual a quarta e a quinta divisões principais não seguem a ordem dos versículos da unidade expositiva.

Título: O Cordeiro de Deus

Assunto: Aspectos do cordeiro pascal prefigurativos de Cristo, o Cordeiro pascal

I. Foi um Cordeiro divinamente determinado (v. 1-3)
II. Foi um Cordeiro perfeito (v. 5)
III. Foi um Cordeiro morto (v. 6)
IV. Foi um Cordeiro redentor (v. 7,12,13)
V. Foi um Cordeiro sustentador (v. 8-11)

4. As divisões principais podem ser extraídas das verdades importantes sugeridas pelo texto

Esboços desse tipo são, em geral, tirados de passagens bíblicas históricas e proféticas e consistem nas principais verdades ou lições espirituais que os fatos pareçam sugerir ou exemplificar. Essas verdades ou princípios espirituais tornam-se, então, as divisões principais do esboço.

Usamos, como exemplo desse tipo de esboço, o acontecimento histórico do Dilúvio (Gênesis 6 e 7).

Título: O Deus com quem devemos lidar

Assunto: Verdades acerca de Deus em sua relação com o homem

I. Ele é o governante moral do Universo... (6.1-7,11-13)
   1. ... que nota as ações dos homens (6.1-6,11,12)
   2. ... que pronuncia juízo sobre os homens por causa da culpa deles (6.7,13)

II. Ele é o Deus da graça... (6.3,8-22)
   1. ... que providencia um meio de escapar do juízo do pecado (6.8-22)
   2. ... que oferece misericórdia ao culpado (6.3)

III. Ele é o Deus da fidelidade... (7.1-24)
   1. ... que cumpre sua palavra de juízo (7.11-24)
   2. ... que cumpre as promessas feitas aos seus (7.1-10,23)

Observe um segundo exemplo, tirado do livro de Obadias, que contém apenas 21 versículos e é uma profecia acerca da destruição de Edom. Examinando o texto, descobrimos que ele faz uma revelação dupla do caráter de Deus.

I. Ele é Deus de justiça... (1-16)
   1. ... que julga os homens por seu orgulho (1-9)
   2. ... que julga os homens por sua violência (10-16)

II. Ele é Deus de graça... (17-21)
   1. ... que traz libertação a seu povo (17,21)
   2. ... que leva os seus às suas posses (17-21)

5. Duas ou três passagens mais ou menos extensas, extraídas de várias partes da Bíblia, podem formar a base de um esboço expositivo

Segundo esse princípio, a unidade expositiva não consiste, necessariamente, em uma única passagem com versículos consecutivos: duas ou três passagens, breves ou extensas, podem ser tratadas como se fossem uma unidade, quando a relação entre elas é direta.

O sacrifício de comunhão é um exemplo desse princípio. Encontramos a primeira descrição desse sacrifício em Levítico 3.1-17 e outras informações em 7.11-15,28-32. Portanto, para obter um quadro completo das leis referentes ao sacrifício de comunhão, juntamos as três passagens e elaboramos o esboço a seguir (que se aplica, mediante a tipologia, a Cristo e ao cristão).

Título: Paz com Deus

Assunto: Leis referentes à reconciliação do pecador com Deus

I. Como se obtém a reconciliação (3.1-17)
   1. Mediante um sacrifício divinamente determinado (3.1, 6,12)
   2. Mediante a identificação do pecador com o sacríficio (3.2,7,8,12,13)

II. O método pelo qual se desfruta a reconciliação (7.11-15, 28-32)
   1. Pela participação do ofertante (7.11-15)
   2. Pela participação dos sacerdotes (7.28-32)

Os sermões biográficos muitas vezes são elaborados em linhas similares. Começando com uma passagem um pouco extensa sobre uma personagem bíblica, podemos formar um quadro para um esboço de sermão biográfico procurando outras referências a essa pessoa.

Como exemplo, tomemos Raabe, cuja vida está descrita em Josué 2 e 6.22-25. Com a ajuda de uma concordância, porém, descobrimos mais oito referências a Raabe, incluindo Mateus 1.5. Estudando um pouco mais, ficamos sabendo que três delas, Salmos 87.4 e 89.10 e Isaías 51.9, não se referem à pessoa em questão, mas a um monstro marinho mítico, que na Bíblia simboliza o Egito. Estudamos, então, cuidadosamente as outras cinco ocorrências do nome Raabe e também os dois relatos detalhados de Josué. Como resultado de observação, análise e classificação cuidadosas dessas passagens, podemos preparar dois esboços biográficos, baseados principalmente nos relatos do livro de Josué. O primeiro é analítico, e o segundo mostra as verdades ou princípios ensinados pela "fé viva" de Raabe.

Título: De pecadora a santa

I. Seu passado trágico (Josué 2.1; Hebreus 11.31; Tiago 2.25)
II. Sua fé em Deus (Hebreus 11.31)
III. Sua obra de fé (Josué 2.1-6; Tiago 2.25)
IV. Seu testemunho bendito (Josué 2.9-13)
V. Sua influência maravilhosa (Josué 2.18,19; 6.22,23,25)
VI. Sua posteridade nobre (Mateus 1.5; cf. Rute 4.21,22)

Titulo: Fé viva

I. Uma fé que salva (Hebreus 11.31)
II. Uma fé que age (Josué 2.1-6; Tiago 2.25)
III. Uma fé que dá testemunho (Josué 2.9-13)
IV. Uma fé que influencia (Josué 2.18,19; 6.22,23,25)
V. Uma fé que dá frutos permanentes (Mateus 1.5; cf. Rute 4.21,22)

Outro exemplo de sermão biográfico, sobre a vida de Ló, pode ser obtido de Gênesis 13.2-13; 14.1-16; 19.1-38; 2Pedro 2.6-8. Combinando essas passagens, vemos o trágico exemplo de um homem que andou no "conselho dos ímpios", deteve-se "no caminho dos pecadores" e assentou-se "na roda dos zombadores".

Título: O preço do mundanismo

I. Ele escolheu seu modo de vida (Gênesis 13.1-13)
II. Ele persistiu em sua escolha (Gênesis 14.1-16; 2Pedro 2.6-8).
III. Ele sofreu as consequências de sua escolha errada (Gênesis 19.1-38).

Aplicando as verdades espirituais que podemos tirar desse resumo biográfico, obtemos o esboço a seguir.

Título: Ganho ou perda: a escolha é nossa

I. Podemos escolher nosso modo de vida...
   1. ... fazendo nossos planos, independentemente de Deus, como Ló (Gênesis 13.1-13)
   2. ... não levando em consideração as associações a que esse tipo de vida nos possa levar, como Ló (Gênesis 13.12,13; 2Pedro 2.6-8)

II. Podemos persistir em nosso estilo de vida...
   1. ... não dando ouvidos à voz da consciência, como Ló (2Pedro 2.6-8)
   2. ... não dando ouvidos às advertências que Deus graciosamente nos faz, como Ló, depois de ser salvo por Abraão (Gênesis 14.1-16)

III. Devemos sofrer as consequências de nossa impiedade...
   1. ... mediante a possível perda de tudo que consideramos precioso, como Ló (Gênesis 19.15,16,30-35)
   2. ... mediante a perda de caráter, como Ló (Gênesis 19.1,6-8,30-38)

Os sermões biográficos podem ser elaborados com outras diretrizes e incluir itens como a formação do indivíduo, seu caráter, suas realizações e sua influência. Podemos, às vezes, contrastar os aspectos positivos do caráter do indivíduo com os negativos. Certa vez, Charles H. Spurgeon fez um sermão baseado em Marcos 16.14-20 e Lucas 23.6-12, apresentando os traços bons e maus do rei Herodes.

I. Pontos positivos do caráter de Herodes
   1. Embora não tivesse justiça, honestidade e pureza, ele possuía um pouco de respeito pela virtude (Marcos 6.14-20)
   2. Ele protegeu João Batista por causa da justiça e santidade deste (Marcos 6.20)
   3. Ele gostava de ouvir João Batista (Marcos 6.20)
   4. Sua consciência, evidentemente, sofreu grande influência da mensagem de João (Marcos 6.20)

II. Falhas do caráter de Herodes
   1. Embora respeitasse João Batista, não se voltou para o Mestre de João (Marcos 6.17-20)
   2. Não amou a mensagem que João anunciou (Marcos 6.17-20)
   3. Embora fizesse muitas coisas como resultado da mensagem de João, permaneceu sob a influência do pecado (Marcos 6.21-26)

4. Mandou matar o homem a quem respeitava (Marcos 6.26,27)
5. Acabou zombando do Salvador (Lucas 23.6-12)

6. Por meio da abordagem múltipla, podemos analisar uma passagem bíblica de várias maneiras e tirar dois ou mais esboços inteiramente diferentes do mesmo trecho

Já nos referimos ao método de abordagem múltipla em conexão com os sermões textuais. É um método aplicável tanto ao tratamento de versículos isolados quanto a uma unidade expositiva.

Mediante a abordagem múltipla, podemos produzir diferentes esboços da mesma passagem. Cada esboço deverá basear-se numa ideia dominante, revelada pelo Espírito de Deus, que atenda a alguma necessidade especial ou a uma conjuntura do povo a quem servimos ou que afete outras situações enfrentadas pela igreja no mundo complexo em que vivemos.

Entretanto, se escolhermos uma passagem após definir um propósito, jamais deveremos forçar as ideias do texto a se encaixar nesse propósito. Pelo contrário, devemos procurar na passagem conceitos ou verdades relacionados ao nosso objetivo que derivem naturalmente dela. Se não, devemos procurar outro texto.

Para demonstrar que uma única unidade expositiva pode aplicar-se corretamente a várias situações, apresentamos a seguir quatro esboços diferentes baseados em Mateus 14.14-21, que trata da alimentação de 5 mil pessoas. Para descobrir o conteúdo da passagem, podemos examiná-la do ponto de vista de cada pessoa ou grupo de pessoas a que o texto se refere, incluindo as pessoas da Trindade, e fazer a nós mesmos estas perguntas: "O que revela a passagem a respeito dessas pessoas?" e "O que cada uma diz, faz ou experimenta?".

Para nosso primeiro exemplo, tomaremos como ideia dominante da unidade expositiva os atributos de Jesus.

Título: Nosso Senhor singular

I. A compaixão de Jesus... (v. 14)
   1. ... demonstrada em seu interesse pala multidão (v. 14)
   2. ... demonstrada em seu serviço à multidão (v. 14)

II. A ternura de Jesus... (v. 15-18)
   1. ... demonstrada em sua resposta bem-humorada aos discípulos (v. 15,16)
   2. ... demonstrada em seu trato paciente com os discípulos (v. 17,18)
III. O poder de Jesus... (v. 19-21)
   1. ... manifesto na alimentação da multidão (v. 19-21)
   2. ... exercido mediante o serviço dos discípulos (v. 14-21)

Trataremos agora a mesma passagem considerando Cristo o supridor de nossas necessidades.

Título: Veja como Deus age
I. Cristo interessa-se por nossas necessidades (v. 14-16)
   1. Tem compaixão de nós em nossas necessidades (v. 14,16)
   2. Ele nos considera em nossas necessidades quando outros não se importam conosco (v. 15,16)
II. Cristo, ao suprir nossas necessidades, não se restringe às circunstâncias (v. 17-19)
   1. Ele não se restringe por nossa falta de recursos (v. 17,18)
   2. Ele não se restringe por qualquer outra falta (v. 19)
III. Cristo supre as nossas necessidades (v. 20,21)
   1. Supre nossas necessidades com abundância (v. 20)
   2. Provê muito mais que o suficiente (v. 20,21)

No terceiro esboço, consideraremos o texto do ponto de vista do problema que enfrentamos.

Título: Resolvendo nossos problemas
I. Às vezes, deparamos com problemas... (v. 14,15)
   1. ... de grandes proporções (v. 14,15)
   2. ... de natureza urgente (v. 15)
   3. ... de solução impossível, humanamente falando (v. 15)
II. Cristo é extremamente capaz de solucionar nossos problemas... (v. 16-22)
   1. ... sob a condição de que lhe entreguemos nossos recursos limitados (v. 16-18)

2. ... sob a condição de que lhe obedeçamos sem questionar (v. 19-22)

Para o quarto exemplo, basearemos o esboço na ideia da fé relacionada com a necessidade humana.

Título: Relacionando a fé com a necessidade humana

I. O desafio da fé (v. 14-16)
   1. O motivo do desafio (v. 14,15)
   2. A substância do desafio (v. 16)

II. A obra da fé (v. 17-19)
   1. O primeiro ato de fé (v. 17,18)
   2. O segundo ato de fé (v. 19)

III. A recompensa da fé (v. 20,21)
   1. A felicidade da recompensa (v. 20a)
   2. A grandeza da recompensa (v. 20b,21)

Vimos, assim, quatro modos diferentes de tratar Mateus 14.14-21 com finalidades e propósitos diferentes.

7. Observe o contexto da unidade expositiva

Aprendemos, em conexão com o sermão textual, que o exame do contexto é essencial à interpretação correta. Esse princípio aplica-se tanto ao sermão expositivo quanto ao textual. O exame atento do contexto, imediato e remoto, será de grande ajuda objetiva na compreensão da passagem, permitindo-nos vê-la em sua dimensão correta.

O capítulo 12 da carta aos Romanos inicia com as palavras: "Portanto, irmãos, rogo-lhes pelas misericórdias de Deus". A palavra "portanto" manda-nos de volta aos capítulos precedentes e sinaliza que as exortações práticas que se seguem têm por base as verdades doutrinárias vitais apresentadas na seção anterior.

A falta de espaço impede-nos de discutir esse princípio com mais detalhes, mas ressaltamos a necessidade de sempre fazer o estudo do contexto se quisermos ser intérpretes fiéis das Escrituras.

8. Examine o contexto histórico e cultural da passagem, sempre que possível

Muitas passagens bíblicas não podem ser adequadamente compreendidas fora de seu contexto histórico e cultural. A interpretação fiel de tais passagens, portanto, será determinada por um exame das partes históricas a que se relacionam intimamente e ao seu ambiente cultural e geográfico.

Essa regra diz respeito principalmente aos Profetas Maiores e Menores em sua vinculação com os livros históricos do Antigo Testamento, e às cartas de Paulo em sua relação com o livro de Atos. Considere, por exemplo, o livro de Jonas. Não se pode compreender a mensagem desse pequeno livro sem uma referência a 1 e 2Reis, em particular ao capítulo 14 de 2Reis, pelo qual ficamos sabendo da trágica condição de apostasia de Israel nos dias de Jonas. O livro desse profeta é, pois, visto como um chamado ao arrependimento dirigido à cidade de Nínive, no Reino do Norte, e também uma advertência ao povo de Deus quanto ao juízo terrível que o aguardava se continuasse em sua rebeldia obstinada contra o Senhor.

9. Os detalhes do texto devem ser tratados correta, mas não exaustivamente

Como já ressaltamos, no sermão expositivo é necessário interpretar a Escritura. Isso significa tratar os detalhes do texto para esclarecer o seu significado e propósito à congregação. Esse aspecto define a importância da pregação expositiva na comunicação da verdade divina.

Nesse ponto, o principiante precisa tomar cuidado especial. Na tentativa de fazer uma exposição completa, o jovem mensageiro, muitas vezes, perde-se em um número exagerado de detalhes, de tal sorte que seu sermão se sobrecarrega de material exegético, e exegese não é o propósito final desse tipo de apresentação. A exegese não é mais que o meio pelo qual descobrimos as verdades contidas na passagem. Embora deva tornar claro o significado da passagem, o mensageiro deve ter em mente que o alvo do sermão expositivo é a apresentação de um único tema principal. De acordo com esse princípio, o pregador deve introduzir apenas os detalhes pertinentes ao tema da mensagem. Outros materiais devem ser deixados de fora, por mais interessantes que sejam. Aquele que prega deve, pois, compreender que pode manter-se fiel à passagem — e sua exposição ser positivamente bíblica —, mesmo omitindo muitos detalhes. É claro que, quanto mais longa for a passagem, tanto maior será a necessidade de selecionar os detalhes a serem omitidos.

Convém acrescentar, contudo, que muitos detalhes, que à primeira vista parecem insignificantes, realmente podem ter grande importância. Nem sempre o valor principal da exposição está na palavra difícil ou no termo peculiar. Às vezes, o "coração" da verdade que o pregador deseja transmitir encontra-se em um tempo verbal, em uma preposição ou em alguma classe gramatical aparentemente insignificante.

10. As verdades do texto devem relacionar-se com o presente

Uma das críticas comuns ao discurso expositivo é que o mensageiro, ao empregar esse método, muitas vezes falha em aplicar as verdades bíblicas aos cristãos nas circunstâncias e no ambiente em que vivem. Com muita frequência, o elaborador de sermões contenta-se com uma simples explicação do texto e não demonstra como a passagem se aplica a assuntos atuais e vitais. A falta não é da Bíblia, pois a Palavra de Deus é viva e poderosa e tem aplicação constante e universal aos homens de todas as épocas e de todas as posições sociais. A culpa, na realidade, é de quem não vê a necessidade ou a importância de aplicar a verdade divina aos problemas e condições atuais. O mensageiro deve, portanto, certificar-se de que interpreta a Bíblia e ao mesmo tempo extrai dela verdades eternas de aplicação prática aos membros de sua congregação.

Como os textos de homilética tratam comparativamente pouco desse assunto, dedicamos um capítulo inteiro mais adiante para uma discussão desse importante aspecto da pregação, juntamente com algumas sugestões que capacitarão o aluno a tornar a verdade relevante à vida de seus ouvintes.

ERROS COMUNS DA PARTE DOS QUE DESEJAM SER EXPOSITORES

É possível que a habilidade de interpretar as Escrituras de modo adequado, discernindo o que deve ou não ser incluído na exposição de uma passagem, nos tome tempo considerável e demande muito esforço. Visto que em geral os principiantes cometem alguns erros nessa área, pedimos atenção especial para o que apresentamos a seguir.

Alguns têm dificuldade na exposição porque, no processo da exegese, perdem-se no acúmulo de detalhes e não conseguem ver a mensagem principal do texto. O sermão contém tantos detalhes que é difícil para o ouvinte acompanhar a mensagem.

Outros, esquecendo-se do princípio de que o aspecto básico da pregação expositiva é a interpretação, gastam demasiado tempo na aplicação, não percebendo que sua missão é proclamar a Bíblia com clareza e simplicidade, pois é o Espírito Santo que a põe no coração dos homens.

Outro erro comum da parte dos futuros expositores é se deixarem desviar da passagem que está sendo exposta e divagarem por algum tempo antes de voltar ao texto.

Talvez o erro mais sério esteja em não interpretar a passagem corretamente. Isso às vezes se deve à incapacidade de compreender o texto. Mas, com tanto material excelente disponível hoje, o mensageiro não tem desculpa se violar os princípios da hermenêutica bíblica sadia.

VARIEDADE NA PREGAÇÃO EXPOSITIVA

A esta altura, deve estar óbvio ao leitor que o método expositivo tem um largo alcance. Uma unidade expositiva pode apresentar doutrina, quando o texto tratar de alguns fundamentos da fé cristã. Pode ser devocional, contendo ensino sobre um caminhar mais íntimo com Deus. Pode incluir ética, pois grande parte do material bíblico possui caráter moral. No entanto, a unidade expositiva pode ser profética ou ter caráter distintivamente típico, na qual o tipo é explicado por seu antítipo. Pode ser também biográfica ou histórica. Outras unidades expositivas, de conteúdo principalmente evangelístico, dão ensejo especial à apresentação das exigências do evangelho.

Alguns capítulos ou trechos das Escrituras são tão ricos e variados que uma única passagem pode incluir muitas das características aqui mencionadas. Embora o sermão expositivo deva ter uma ideia controladora, o seu desenvolvimento pode ser uma combinação de elementos, como apresentação do evangelho, ensino doutrinário, exortação ou mensagem de consolo.

Para se ter ideia da variedade de material que pode ser usado na mensagem expositiva, apresentamos a seguir quatro exemplos de esboços desse tipo de sermão. O primeiro baseia-se em uma parte histórica do evangelho de João, a saber, João 11.1-6,19-44; o segundo é tirado da última parte da parábola de Cristo sobre o filho perdido, relacionada com o irmão mais velho, em Lucas 15.25-32; o terceiro, da poesia hebraica, em Salmos 23; o quarto, das cartas de Paulo, em Efésios 4.31—5.2.

Título: O melhor amigo
Texto: João 11.1-6,19-44
Assunto: Jesus, nosso melhor amigo

I. Jesus, um amigo amoroso... (v. 3-5)
   1. ... que ama cada um de nós individualmente (v. 3,5)
   2. ... que permite, não obstante, que nos sobrevenham aflições (v. 3)
II. Jesus, um amigo compreensivo... (v. 21-36)
   1. ... que entende nossos sentimentos mais profundos (v. 21-26,32)
   2. ... que se compadece de nós em nossas dores mais agudas (v. 33-36)
III. Jesus, um amigo poderoso... (v. 37-44)
   1. ... que pode realizar coisas miraculosas... (v. 37)
   2. ... quando cumprimos as condições que ele exige (v. 38-44)

Título: O fariseu ontem e hoje
Texto: Lucas 15.25-32

Assunto: Aspectos do farisaísmo vistos no caráter do irmão mais velho

I. Era um homem de justiça própria... (v. 29,30)
   1. ... indicada por sua reivindicação de obediência (v. 29)
   2. ... manifestada por sua atitude para com o irmão (v. 29,30)

II. Era um homem sem amor... (v. 28-30)
   1. ... como o indica sua atitude para com a volta do irmão (v. 28)
   2. ... praticamente deserdou o irmão (v. 30)

III. Era um homem crítico... (v. 25-30)
   1. ... como o indicam as faltas que encontrou no irmão (v. 30)
   2. ... como mostram as falhas que encontrou no pai (v. 27-30)

IV. Era um homem teimoso... (v. 28-32)
   1. ... como manifesta sua recusa em entrar (v. 28)
   2. ... como indica sua atitude persistente (v. 29-32)

Nota: Embora esse esboço pareça não ter um ensino de natureza positiva ou construtiva, verifica-se o oposto em seu desenvolvimento e na conclusão.

Título: O salmo do contentamento
Texto: Salmos 23
Assunto: As bases do contentamento das ovelhas do Senhor

I. O pastor das ovelhas (v. 1)
   1. Um pastor divino (v. 1)
   2. Um pastor pessoal (v. 1)

II. A provisão das ovelhas (v. 2-5)
   1. Descanso (v. 2)
   2. Direção (v. 3)
   3. Conforto (v. 4)
   4. Fartura (v. 5)

III. O futuro das ovelhas (v. 6)
   1. Um futuro brilhante nesta vida (v. 6)
   2. Um futuro abençoado no porvir (v. 6)

Título: Andando em amor
Texto: Efésios 4.31—5.2

Assunto: Uma disposição verdadeiramente cristã

I. É marcada pela ausência de sentimentos maus... (4.31)
   1. ... de toda espécie (4.31)
   2. ... de todo grau (4.31)

II. É marcada pela atitude de perdão... (4.32)
   1. ... uns para com os outros (4.32)
   2. ... em vista da graça de Deus para conosco (4.32)

III. É marcada pela atitude de devoção amorosa... (5.1,2)
   1. ... como filhos (5.1)
   2. ... com o amor de Cristo (5.2)

Observe que todas as subdivisões e respectivas divisões principais desses esboços derivam da mesma passagem bíblica.

O aluno deve ter em mente que, de acordo com a definição, o sermão expositivo baseia-se em um trecho mais ou menos extenso da Escritura. Os esboços expositivos apresentados até aqui foram tirados de passagens breves. No entanto, pode-se produzir variedade na pregação expositiva construindo sermões fundamentados em passagens bíblicas mais extensas. Mesmo assim, é impossível incluir no sermão todos os detalhes do texto. Pelo contrário, o esboço tratará apenas de alguns pontos salientes da passagem. Mostramos a seguir um esboço expositivo baseado na primeira carta aos Tessalonicenses.

Título: A igreja no que tem de melhor
Texto: 1Tessalonicenses

I. Fé... (1.1—2.16)
   1. ... baseada na Palavra de Deus (1.2-5,9,10; 2.13)
   2. ... que mantém os cristãos firmes diante da tribulação (1.6; 2.14-16)

II. Amor... (2.17—4.12)
   1. ... que os cristãos demonstram para com os anciãos na fé (3.6)
   2. ... que os cristãos demonstram uns para com os outros (3.12; 4.9,10)

III. Esperança... (4.13—5.28)
   1. ... firmada na vinda do Senhor para os seus (4.13-18; 5.9,10,23)
   2. ... que aguarda a reunião com os amados que partiram antes (4.13-18)

Em João 12.41, lemos que Isaías "viu a glória de Jesus e falou sobre ele". Essa afirmativa do evangelho de João leva nossa atenção para o livro de Isaías, do qual retiramos o básico esboço a seguir.

Título: Contemplando a glória de Cristo
Assunto: Predições referentes a Cristo no livro de Isaías

I. Contemplamos a glória de Cristo no mistério da encarnação (7.14; 9.6)
II. Contemplamos a glória de Cristo na maravilha da divindade (9.6)
III. Contemplamos a glória de Cristo na baixeza da servidão (42.1-7; 49.5,6; 50.4-10; 52.13; 53.12)
IV. Contemplamos a glória de Cristo na agonia do sacrifício vicário (52.13—53.12)
V. Contemplamos a glória de Cristo nas glórias do Reino vindouro (11.1-16; 59.20—66.24)

SÉRIE DE SERMÕES EXPOSITIVOS

O método expositivo presta-se admiravelmente bem ao desenvolvimento de mensagens em série. É natural que o pregador continue por várias semanas sua exposição sobre uma passagem extensa ou use unidades expositivas relacionadas.

Quando o mensageiro profere uma série de sermões expositivos, atinge o grau mais elevado do ministério do ensino da Palavra de Deus a seu povo. Mediante esse ensino, ele pode ajudar seus ouvintes a observar a inteireza de determinado livro ou de um segmento mais extenso da Bíblia e também o relacionamento das partes com o todo e as partes do livro entre si. Além disso, esse tipo de pregação dá continuidade ao ministério do ensino bíblico, e, à medida que as passagens são apresentadas, o povo pode progredir no conhecimento da revelação divina.

Várias são as maneiras de desenvolver uma série de sermões expositivos. Uma das mais comuns é sobre um livro da Bíblia. O número de sermões dependerá do tamanho e do conteúdo do livro e também do objetivo do mensageiro.

Quando se trata de falar sobre um livro inteiro, é bom apresentar na primeira mensagem uma visão panorâmica do livro, dando à congregação uma ideia geral de seu alcance e propósito. Agindo assim, o mensageiro permitirá que os fiéis compreendam melhor as diversas partes do texto, à medida que se desenrola cada seção.

Entretanto, o principiante não deve tentar a apresentação de uma série de mensagens sobre um livro da Bíblia enquanto não dominá-lo por completo e não tiver em mente seu conteúdo, do primeiro ao último capítulo.

Os exemplos que se seguem darão ao aluno uma ideia de como dispor um grupo de mensagens sobre um livro todo.

Uma série sobre o livro de Jonas, começando com uma mensagem geral sobre o livro como um todo, pode conter títulos como os seguintes:

Chamado ao arrependimento (livro todo);
A insensatez da desobediência (1.1-16);
Sepultado em um peixe (1.17);
Orando em dificuldades (cap. 2);
Quando Deus "se arrependeu" (cap. 3);
Lutando com Deus (cap. 4).

O livro do Gênesis, juntamente com a relação de homens de fé de Hebreus 11, fornece matéria para sete mensagens consecutivas sobre a "Vida de fé". É especialmente significativa a ordem progressiva em que aparecem estes homens de fé no registro sagrado:

Abel — O sacrifício da fé (Gênesis 4.1-5; Hebreus 11.4)
Enoque — A jornada da fé (Gênesis 5.21-24; Hebreus 11.5,6)
Noé — A obra da fé (Gênesis 6 e 7; Hebreus 11.7)

Abraão — A obediência da fé (Gênesis 12—18; Hebreus 11.8-10)
Isaque — A visão da fé (Gênesis 26 e 27; Hebreus 11.20)
Jacó — O discernimento da fé (Gênesis 27—35; Hebreus 11.21)
José — A segurança da fé (Gênesis 37—50; Hebreus 11.22)

A carta de Paulo aos Filipenses prepara o ambiente para uma série intitulada "Como ser feliz", baseada consecutivamente em seus quatro capítulos:

Por meio de Cristo: nossa vida;
Por meio de Cristo: nosso exemplo;
Por meio de Cristo: nosso objetivo;
Por meio de Cristo: nossa satisfação.

Podemos também desenvolver várias mensagens sobre um tema contínuo, selecionando um assunto amplo e usando diversas passagens como base para sermões. "Milagres da conversão" pode ser o título de uma série na qual cada mensagem descreve a conversão de uma pessoa. Veja, a seguir, uma relação de quatro milagres de conversão.

A mulher de Samaria, ou "Transformação mediante a conversão" (João 4.1-44)
O ladrão na cruz, ou "Conversão instantânea" (Lucas 23.39-43)
O eunuco etíope, ou "Coincidência divina na conversão" (Atos 8.26-40)
O carcereiro de Filipos, ou "Alegria celeste na conversão" (Atos 16.22-40)

Há na Bíblia material em abundância para várias séries de mensagens expositivas. Podem-se usar passagens isoladas, que se relacionem entre si nesses grupos de mensagens. O cântico de Moisés, em Deuteronômio 31.30—32.44, o cântico de Débora, em Juízes 5, e o cântico de Davi, em 2Samuel 22, podem formar uma série intitulada "Cânticos dos santos do Antigo Testamento". As orações de Paulo encontradas em suas cartas proporcionam outra série de mensagens expositivas.

Vez por outra, é aconselhável apresentar uma série de sermões tirados de Salmos. Podemos preparar uma sucessão de mensagens sobre os salmos de coroação (Salmos 93—100), sobre os salmos de aleluia (Salmos 106, 111, 112, 113, 135 e, especialmente, 146—150) ou sobre os salmos penitenciais (Salmos 6, 32, 38, 51, 102, 130 e 143). Sem dúvida, devemos ter uma série de sermões sobre Cristo, selecionando alguns dos salmos messiânicos como base. O salmo 8 apresenta Cristo como o Filho do homem; o salmo 23, como o bom pastor das ovelhas; o salmo 40, como o profeta divino; o salmo 2, como o rei vindouro. Devemos observar, também, a relação admirável entre os salmos 22, 23 e 24 e preparar três mensagens sucessivas com títulos como: "O bom pastor em sua morte", para o salmo 22; "O grande pastor em seu poder", para o salmo 23; "O pastor principal em sua glória", para o salmo 24.

Adotando um tratamento inteiramente diferente, poderíamos organizar uma série de sermões expositivos denominada "Vozes dos salmos", tendo como títulos:

A voz da penitência (Salmos 51);
A voz da ação de graças (Salmos 103);
A voz da confiança (Salmos 27);
A voz do regozijo (Salmos 18);
A voz do louvor (Salmos 34).

Também podemos basear uma série em parte de um livro, que pode consistir em vários capítulos com um tema comum, tais como: Êxodo 25—40, sobre o tabernáculo; Gênesis 37—50, sobre a vida de José; Daniel 7—12, sobre as visões de Daniel. As mensagens às sete igrejas da Ásia, de Apocalipse 2 e 3, dão-nos o material para um conjunto de sete sermões com os seguintes títulos:

A igreja ocupada (2.1-7);
A igreja sofredora (2.8-11);
A igreja transigente (2.12-17);
A igreja corrupta (2.18-29);

A igreja morta (3.1-6);
A igreja missionária (3.7-13);
A igreja indiferente (3.14-22).

Pode-se ainda tomar um capítulo, ou parte dele, e, mediante estudo cuidadoso do texto, desenvolver várias mensagens relacionadas entre si. Usamos, como exemplo, 1Reis 10.1-13, que se refere à visita da rainha de Sabá ao rei Salomão. Desse trecho extraímos os seguintes títulos para uma série de exposições denominadas "As riquezas que perduram":

Descobrindo as riquezas que perduram (v. 1-5);
Desfrutando as riquezas que perduram (v. 6-9);
Possuindo as riquezas que perduram (v. 10-13).

Um exame minucioso de 2Reis 5.1-15 revelará vários instrumentos que Deus usou para levar Naamã, o leproso, ao conhecimento de Deus. Como resultado desse estudo, podemos formular uma série intitulada "Instrumentos que Deus usa para a bênção".

Isaías 6.1-13 fornece a base para um conjunto de mensagens sobre "Preparação para o serviço", com os seguintes títulos, que tratam dos passos sucessivos na preparação do homem de Deus para a obra do Senhor:

Uma visão do Senhor (v. 1-4);
Confissão ao Senhor (v. 5);
Purificação pelo Senhor (v. 6,7);
Dedicação ao Senhor (v. 8);
Comissionamento pelo Senhor (v. 9-13).

A primeira mensagem da série pode ser preparada de acordo com as seguintes sugestões:

I. O homem que deseja servir a Deus com eficiência precisa ter uma visão do Senhor em sua glória (v. 1,2);
II. O homem que deseja servir ao Senhor com eficiência precisa, também, ter uma visão do Senhor em sua santidade (v. 3,4).

O expositor experiente pode apresentar um plano de mensagens fazendo uma sinopse de cada livro da Bíblia. Por exemplo, "Quatro homens que predisseram o futuro" pode servir de título geral para uma série sobre os Profetas Maiores, ressaltando em cada caso um aspecto distintivo desse profeta.

Isaías, o profeta messiânico
Jeremias, o profeta chorão
Ezequiel, o profeta silencioso
Daniel, o profeta apocalíptico

Terminamos este estudo sobre séries de sermões expositivos com uma palavra de cautela. Embora uma série dessa natureza possibilite o ensino da Bíblia com uma inteireza que nenhum outro método de pregação pode alcançar, precisamos ter cuidado para que não seja demasiadamente longa. É possível que, mesmo quando acostumada ao método expositivo, a congregação se canse de ouvir uma ênfase principal que exija sua atenção por muito tempo. A necessidade de cautela aplica-se, em particular, ao expositor menos experiente e incapaz de despertar interesse por mensagens que seguem um tema principal ou são tiradas de um livro.

CONCLUSÃO

O método expositivo é, em certo sentido, o modo mais simples de pregar. Isso porque todos os materiais básicos para o sermão expositivo estão contidos na passagem a ser exposta, e, geralmente, o pregador precisa apenas seguir a ordem apresentada no texto.

O sermão expositivo possui, ainda, outras vantagens. Em contraste com outros tipos de mensagens, ele assegura um melhor conhecimento das Escrituras tanto da parte do pregador como da parte dos ouvintes. Além do mais, como disse James M. Gray, "a pregação expositiva exige que os sermões contenham mais verdade bíblica pura e mais perspectivas escriturísticas dos fatos", o que levará o pregador a incluir em suas mensagens muitas admoestações práticas que, em outras circunstâncias, poderiam parecer pessoalmente ofensivas a alguns ouvintes.

Existe outra importante vantagem: o aluno que se torna um hábil expositor da Palavra de Deus perceberá cada vez mais, no decorrer de sua experiência, que a pregação expositiva dará muitas oportunidades para explanar passagens bíblicas que, de outra forma, provavelmente jamais fariam parte de seu ministério.

EXERCÍCIOS

1. Indique as unidades expositivas do capítulo 4 de Filipenses, mostrando o número dos versículos que as contêm e, no seu entender, o ponto principal de ênfase de cada unidade.
2. Prepare um esboço expositivo sobre 1Coríntios 3.1-8, definindo título, assunto e divisões principais. Indique os versículos que se relacionam com cada divisão principal.
3. Faça um esboço de sermão biográfico sobre Miriã, irmã de Moisés (anote todas as passagens bíblicas referentes a ela, incluindo Êxodo 2.1-10). Escolha título, assunto e divisões principais, e indique as referências relacionadas com cada divisão principal.
4. Formule um esboço de Números 21.4-9, definindo como divisões principais algumas das verdades sugeridas pela passagem. Escolha título e assunto.
5. Selecione duas ou três passagens bíblicas mais ou menos extensas e use-as como base para um esboço expositivo. Escolha título, assunto e divisões principais, apresentando os versículos que apoiam cada divisão principal.
6. Usando o método de abordagem múltipla, prepare um esboço de Lucas 19.1-10, selecionando um ponto de ênfase diferente daquele adotado neste capítulo. Escolha título, tema e divisões principais e mostre os versículos que pertencem a cada divisão principal.
7. Escolha sua unidade expositiva e prepare dois esboços sobre a mesma passagem. Escolha o tema e as divisões principais de cada um.

8. Selecione cinco passagens mais ou menos extensas, relacionadas entre si, para uma série de cinco mensagens, e dê títulos a cada uma. Prepare um esboço expositivo para a primeira.
9. Faça uma relação de cinco títulos sobre a vida de José, tirados de Gênesis 37—50. Indique as unidades expositivas para cada título e formule um esboço expositivo de uma delas.
10. Estude com cuidado o texto da carta de Judas e escolha pelo menos três títulos para uma série de mensagens sobre a carta. Desenvolva o primeiro em um esboço expositivo, mostrando o assunto e as divisões principais.

Segunda parte

O processo de elaboração de sermões

Procure apresentar-se a Deus aprovado, como obreiro que não tem do que se envergonhar e que maneja corretamente a palavra da verdade (2Timóteo 2.15).

4
A estrutura homilética

A IMPORTÂNCIA DA ESTRUTURA HOMILÉTICA

O dr. D. Martyn Lloyd-Jones, renomado ministro da Capela de Westminster de Londres, Inglaterra, ressalta em seu livro *Estudos no Sermão do Monte* que o sermão não é mero ensaio nem composição literária para publicação, a ser lido e relido, mas uma mensagem cujo objetivo é ser ouvida e causar impacto imediato.

Para produzir esse impacto, o sermão não deve conter ambiguidade nem material alheio ao tema principal. Deve ser distinto ou padronizado; suas ideias devem indicar continuidade de pensamento, e o discurso todo deve dirigir-se para um ponto definido. Em outras palavras, o sermão deve ser elaborado de tal forma que os ouvintes possam compreender, sem dificuldade, tanto o ponto principal da mensagem quanto os seus outros aspectos. É esse o motivo da estrutura homilética.

Os capítulos que se seguem tratam da estrutura da elaboração de sermões. Não há caminho fácil para a preparação eficaz de sermões. Ela exige esforço árduo e estudo paciente. Aprendidos esses princípios, deve haver ainda uma aplicação frequente deles, se o aluno deseja dominar a arte da pregação.

Contudo, as recompensas de tal diligência serão de muito maior valor que o tempo e o esforço empregados, pois, para se tornar um construtor de sermões, o aluno precisa dominar por completo os princípios de sua elaboração. Assim ele poderá apresentar suas mensagens, do começo ao fim, com uma clareza tal que seus ouvintes poderão acompanhar, ponto por ponto, as verdades bíblicas que ele pretende revelar.

FORMATO DO ESBOÇO DE SERMÃO

Indicamos, nos capítulos anteriores, alguns dos aspectos principais do esboço homilético, mas, para que o leitor tenha um quadro completo de seu formato correto, apresentamos um a seguir.

Título
Texto
Introdução
1.
2.
Proposição
Oração interrogativa
Oração de transição
I. Primeira divisão principal
  1. Primeira subdivisão
     Discussão
  2. Segunda subdivisão
     Discussão
     Transição
II. Segunda divisão principal
  1. Primeira subdivisão
     Discussão
  2. Segunda subdivisão
     Discussão
     Transição
Conclusão
  1.
  2.
  3.

Esse é um modelo típico da maioria dos sermões bíblicos, isto é, o texto precede a introdução, que é seguida da proposição, das orações interrogativas e de transição, das divisões principais, das subdivisões e da conclusão. As transições ligam as divisões principais entre si e à conclusão. (Para uma explicação da proposição, das orações interrogativas e de transição, v. cap. 7; para instruções sobre as transições, v. cap. 8.)

Um dos objetivos do formato é tornar o esboço óbvio. O esboço claro é de grande ajuda para o apresentador. Colocado nessa forma, ele serve de auxílio visual, possibilitando ver a mensagem inteira rapidamente. Dando título à introdução e à conclusão e numerando os pontos depois delas, o pregador faz que cada um desses itens se destaque com clareza, distinguindo facilmente a progressão do pensamento. Colocam-se as divisões principais à esquerda no papel e, depois de um espaço, as subdivisões, subordinadas às divisões principais. Note que as divisões principais e as subdivisões são espaçadas uniformemente, permitindo que se perceba claramente o seu relacionamento.

Os pontos principais e as subdivisões devem ser indicados em algarismos romanos e arábicos, respectivamente, em vez de letras. O motivo desse procedimento é possibilitar ao pregador mencionar os itens numericamente. Por exemplo, se o orador deseja falar sobre os termos usados por Paulo ao descrever o obreiro cristão no capítulo 2 de 2Timóteo, é mais simples referir-se ao primeiro, segundo, terceiro e quarto termos que falar do "termo A", "termo B", "termo C", e assim por diante.

Se for preciso relacionar vários itens subordinados às subdivisões, também podem ser escritos em algarismos arábicos entre parênteses — (1), (2), (3) etc.

Evidentemente, o número de divisões principais e subdivisões não se limita a um só formato, e o mesmo ocorre na introdução e na conclusão. Discutiremos esse assunto em capítulos posteriores.

A CONCISÃO DO ESBOÇO

O esboço deve ser breve. A introdução e a conclusão, assim como as divisões principais, devem ser expressas no menor número de palavras possível, desde que permita uma compreensão adequada.

Da mesma forma, os itens contidos na análise — que não passa de uma elaboração de cada subdivisão — devem ser concisos. Em outras palavras, devemos esforçar-nos por comprimir parágrafos inteiros em afirmativas breves e usar abreviações em lugar de palavras completas sempre que possível (v. os esboços de sermões completos nos cap. 9 e 11).

MODIFICAÇÃO DOS PRINCÍPIOS HOMILÉTICOS

A despeito de todas as lições que ensinou sobre a preparação e pregação de sermões, James M. Gray certa vez ressaltou a seus alunos que o Senhor não se limita a nenhuma regra de retórica ou de homilética. Pelo contrário, podemos receber uma mensagem da Palavra sem nenhum plano aparente ou unidade de pensamento. Não é necessário, portanto, que o pregador se sinta preso aos princípios homiléticos. Ele deve lembrar-se de que "o Espírito dá vida; a carne não produz nada que se aproveite" e procurar manter o coração aberto ao Espírito Santo, para que, inspirado por ele, possa apresentar a Palavra da vida.

No entanto, enquanto o aluno está aprendendo homilética, não seria sábio o exercício de tal liberdade. Pelo contrário, o principiante deve ater-se rigidamente às regras até que as tenha dominado por completo. Mais tarde, em seu ministério, sob a liderança do Espírito de Deus, chegará a época em que ele poderá pôr de lado alguns desses princípios. À medida que adquirir experiência na pregação, ele poderá achar aconselhável, e até mesmo necessário, em certas ocasiões, modificar as regras aprendidas; dependerá de seus sentimentos e do sentimento dos ouvintes, no momento da transmissão da mensagem, a decisão de ceder espaço ao apelo apaixonado.

5
O título

DEFINIÇÃO DE TÍTULO

O título é, geralmente, um dos últimos itens a ser preparado na elaboração do sermão. O procedimento geral é, primeiro, formular a proposição e o esboço principal. Para nos conformarmos ao formato sugerido no capítulo 4, porém, discutiremos o título antes dos outros passos.

Precisamos, logo de início, ter uma compreensão clara do assunto, do tema e do título. Alguns autores de livros de homilética diferenciam assunto e tema, afirmando que o assunto apresenta a ideia geral, ao passo que o tema é um aspecto específico ou particular do assunto. Outros, porém, acham que esses termos são sinônimos. De qualquer modo, o assunto ou tema é a base para nosso estudo.

O assunto pode ser amplo ou limitar-se a uma área de estudo. Por exemplo, são tantos os aspectos abrangidos pelo tema "Graça" — como o significado, a fonte, sua manifestação, sua evidência, seus efeitos etc. — que é impossível tratar dele adequadamente numa única mensagem. Daí ser sempre melhor para o pregador restringir o tema a um aspecto em particular, a fim de tratá-lo de modo apropriado.

O título, contudo,

> é a expressão de um aspecto específico a ser apresentado, formulado para servir de anúncio adequado do sermão.

Assim, o título é o assunto embelezado. Por exemplo, se o tema do sermão for "Condições para o crescimento na graça", o título, a ser anunciado verbalmente ou no boletim da igreja, pode ser: "Como crescer na graça" ou "Amadurecendo na estatura espiritual". No entanto, se escolhermos a segunda metade de Romanos 5.17 como texto — "... muito mais aqueles que recebem de Deus a imensa provisão da graça e a dádiva da justiça reinarão em vida por meio de um único homem, Jesus Cristo" —, o assunto geral poderá ser "Vitória"; o assunto específico, "Pré-requisitos para a vitória", e o título, "O segredo de uma vida cristã vitoriosa" ou "A vida cristã vitoriosa".

O tema e o título, em algumas ocasiões, podem ser exatamente os mesmos, especialmente se o tema for de tal modo interessante que sirva de título ao sermão.

A escolha de títulos para os sermões exige cuidado e arte e, em geral, bastante esforço da parte do principiante. Mas o tempo gasto em preparar um bom título será amplamente recompensado.

PRINCÍPIOS PARA A PREPARAÇÃO DE TÍTULOS

1. O título deve ser pertinente ao texto ou à mensagem

É óbvio que o título deve ter relação definida com o texto ou com o sermão. Por exemplo, se o texto for tirado de Gênesis 22.1-18, em que lemos que Abraão oferece Isaque em sacrifício, o título deve, de alguma forma, relacionar-se com essa mensagem. Se a ideia a ser ressaltada no sermão for a obediência, podemos definir o título "O preço da obediência". Se for a paternidade de Abraão, o título poderá ser "Um pai exemplar".

2. O título deve ser interessante

O título deve despertar atenção ou curiosidade. Tem de ser atraente, não simplesmente pelo caráter de novidade, mas por ser de real interesse ao povo.

Para ser interessante, o título deve ter relação com as situações e necessidades da vida. Muitas circunstâncias, internas e externas, influenciam a vida e o pensamento da igreja. Épocas de bênção espiritual, dias de provações, prosperidade ou adversidade, sublevações sociais ou políticas, comemorações e aniversários, ocasiões de regozijo ou de lutas — tudo isso, bem como os problemas pessoais, influencia os membros da congregação. Cabe ao pastor estar alerta às necessidades dos membros de sua igreja e, sob a direção do Senhor, aplicar as suas mensagens à época e às condições do povo. O título deve, da mesma forma, ser adequado às circunstâncias e aos interesses da congregação.

Evite, portanto, títulos que não têm significação especial nem transmitem nada às pessoas. Por exemplo, um título sobre 1Reis 17.1-6, como "Elias junto ao riacho de Querite", ou "A fome dos dias de Elias", não teria muito significado para as pessoas de hoje. Em vez disso, o título "Provado para merecer confiança" imediatamente transmite significado a todos os que, na igreja, passam por momentos difíceis. Da mesma forma, o título "Nas águas de Mara", para um sermão acerca da amargura do povo de Deus descrita em Êxodo 15.22-26, certamente não despertará muito interesse, ao passo que "Águas amargas e almas amargas" imediatamente criará uma reação na mente dos que guardam rancor por algum toque adverso da providência divina.

Demandará algum tempo e esforço mental até que o principiante encontre um título capaz de despertar interesse. Contudo, o título do sermão, quando é atraente e, particularmente, quando publicado antes da pregação, conduz as pessoas à igreja e desperta interesse por parte da congregação.

3. O título deve estar de acordo com a dignidade do púlpito

No esforço por despertar a atenção dos ouvintes, alguns pregadores cometem o erro de usar títulos extravagantes ou sensacionalistas. Observe os seguintes exemplos:

Vinho, mulheres e canção;
As barbas do gato;
Espetáculo ao estilo do Antigo Testamento;
Deve o marido bater na esposa?;
O espertalhão;
Os astronautas e o homem da Lua;
O lugar quente;
Hippies e minissaia;
O grande maricas.

Títulos como esses são espalhafatosos, rudes ou irreverentes, mas inteiramente alheios ao propósito da tarefa sagrada de transmitir os segredos de Deus aos homens.

Embora procuremos criar interesse com títulos atraentes, é preciso manter sempre a dignidade devida à Palavra de Deus. Não procure a esperteza. Evite, a todo custo, o sensacional ou aquilo que é calculado para despertar atenção ou curiosidade indevidas. Acima de tudo, jamais use um título que se aproxime do frívolo ou vulgar.

4. O título deve ser breve

O título condensado ou compacto é mais eficaz que uma afirmativa longa, contanto que as palavras empregadas sejam vigorosas. Muito provavelmente, chamará a atenção do leitor mais que uma linha de 15 ou 20 palavras. O pregador deve, em geral, dar um título curto, mas não tosco. Não devemos sacrificar a clareza meramente por amor à concisão. Em geral, o título que consiste apenas em uma palavra é muito rude e não desperta interesse.

5. O título pode vir em forma de afirmação, interrogação ou exclamação

Embora o título deva ser breve, há ocasiões em que é necessário usar uma oração completa, mas concisa. Essa oração pode ser afirmativa, interrogativa ou exclamativa. Às vezes, o título tem muito mais força em forma de pergunta. Observe a diferença entre "Vale a pena viver" e "Vale a pena viver?". Veja também: "Devemos estar do lado do Senhor" e "Quem está do lado do Senhor?".

Damos, a seguir, mais exemplos.

Títulos interrogativos:

Por que os santos sofrem?
Qual o significado da fé?

Títulos afirmativos ou declarativos:

Deus pode cuidar de nossos problemas.
O que a Bíblia diz acerca da morte.

Títulos exclamativos:

Para melhor, não para pior!
Ganho mediante a perda!

6. O título pode consistir em uma frase seguida de uma pergunta

Observe:
Jovens perturbados: qual a nossa responsabilidade para com eles?
As perplexidades da vida: como encará-las?

7. O título pode aparecer na forma de sujeito composto

Veja estes exemplos:
O cristão e seus amigos
Discipulado: seu desafio e seu preço
Os sinais dos tempos e a segunda vinda de Cristo

8. O título pode consistir em uma breve citação bíblica

Eis algumas dessas citações usadas como título:

"Prepare-se para encontrar-se com o seu Deus."
"Quem é o meu próximo?"
"Ensina-nos a orar."

"Seja feita a tua vontade."
"Ali vimos gigantes."
"Isto faço."
"Seu pecado certamente o encontrará."

Exemplos de títulos para cultos especiais

Para o culto de ano-novo:

Novos horizontes
O limiar da bênção
Como pode minha vida contar mais para Deus?
Fazendo inventário de nós mesmos

Para o culto da Sexta-feira Santa:

O significado da cruz
Triste até a morte
O lugar chamado Caveira
O preço do amor
Ferido de Deus
O sacrifício de valor inestimável

Para o culto de Páscoa:

Os triunfos do Cristo ressurreto
Não há lugar para a dúvida
O poder da ressurreição de Cristo
O consolo do Cristo vivo
Conhecimento pessoal do Senhor ressurreto

Para o culto do Dia da Independência:

Dimensões da liberdade
O preço da liberdade
Guardando nossa herança
A fé abençoada de nossos pais

Para o culto do Dia de Natal:

A dádiva das dádivas

Quando Deus se fez homem
Nascido para morrer
A sabedoria dos magos

Para o culto missionário:

As ordens de marchar da Igreja
O imperativo das missões
Um homem enviado por Deus
As mais altas prioridades da vida
Enfrentando as questões da dedicação pessoal
Perspectiva das missões
Convocação ou constrangimento?
Altos requisitos para um serviço elevado

EXERCÍCIOS

1. Os seguintes títulos de sermões apareceram no boletim de uma igreja. Indique pelo número os títulos que não preenchem os requisitos de um bom título e, ao lado, anote o motivo.

(1) "O caminho de Deus é simples e forte"
(2) "Reavivamento ou apostasia — Qual?"
(3) "Retorno à religião vital"
(4) "Força para hoje"
(5) "Andar na ponta dos pés da expectação"
(6) "Fora do acampamento"
(7) "Vem jantar"
(8) "O príncipe da paz prediz a guerra"
(9) "Até o fim"
(10) "Ilusão e realidade"
(11) "A porta estava fechada"
(12) "Do lado dos ricos"
(13) "Limpando o caminho para Deus"
(14) "A mensagem do prisioneiro de Deus"
(15) "Jesus é Senhor"

(16) "Do temor à fé"
(17) "Sete mulheres agarrarão um homem"
(18) "A tragédia do comprometimento religioso"
(19) "O sonho de Nabucodonosor se tornará realidade"
(20) "Ir à igreja? Para quê?"
(21) "Minha maior necessidade"
(22) "Os carros de José"
(23) "O homem e o Universo"

2. A lista a seguir contém 12 títulos baseados em diferentes passagens bíblicas. Procure os que precisam de correção e indique como você os melhoraria.

(1) A mentira de Raabe (Josué 2)
(2) As bem-aventuranças (Mateus 5.3-12)
(3) Conselhos a um jovem (1Timóteo 4.12-16)
(4) Visão (Gênesis 13.14-17)
(5) O fardo de Paulo por Israel (Romanos 9.1-5)
(6) Uma oração por amor (Efésios 3.14-19)
(7) O homem feliz (Salmos 1)
(8) A visão errada (Números 13.25-33)
(9) Acusação da consciência (Mateus 14.1-12)
(10) Referente a dons espirituais (1Coríntios 12.1-31)
(11) Fraternidade cristã (Filemom 4-21)
(12) A cidade quadrada (Apocalipse 21.10-27)

3. Prepare um título apropriado para cada um dos seguintes textos:

(1) "Nós, que somos fortes, devemos suportar as fraquezas dos fracos, e não agradar a nós mesmos" (Romanos 15.1).
(2) "Daniel, contudo, decidiu não se tornar impuro com a comida e com o vinho do rei" (Daniel 1.8).
(3) "Fiquei lá entre eles — atônito" (Ezequiel 3.15).
(4) "Cristo morreu pelos nossos pecados, segundo as Escrituras" (1Coríntios 15.3).

(5) "Não oferecerei ao SENHOR, o meu Deus, holocaustos que não me custem nada" (2Samuel 24.24).

(6) "Em tudo andou nos caminhos de seu pai Asa" (1Reis 22.43).

(7) "Não recusa nenhum bem aos que vivem com integridade" (Salmos 84.11).

(8) "Estenda a mão" (Lucas 6.10).

(9) "Quando as tuas palavras foram encontradas, eu as comi; elas são a minha alegria e o meu júbilo, pois pertenço a ti" (Jeremias 15.16).

(10) "E não somente fizeram o que esperávamos, mas entregaram-se primeiramente a si mesmos ao Senhor e, depois, a nós, pela vontade de Deus" (2Coríntios 8.5).

(11) "E vimos e testemunhamos que o Pai enviou seu Filho para ser o Salvador do mundo" (1João 4.14).

(12) "E perseverou [Moisés], porque via aquele que é invisível" (Hebreus 11.27).

6
A introdução

DEFINIÇÃO DE INTRODUÇÃO

Na prática, a introdução, ou exórdio, à semelhança do título, geralmente é uma das últimas partes do sermão a serem preparadas. Justifica-se: depois de escrita a parte principal do sermão e a conclusão, o mensageiro pode pensar em uma introdução melhor à mensagem, a fim de despertar e manter o interesse do povo. Apesar disso, achamos melhor estudá-la agora e, assim, seguir a ordem do formato esboçado no capítulo 4.

Austin Phelps, em seu livro *Teoria da pregação*, ressalta a diferença entre as preliminares e a introdução propriamente dita. Nas preliminares, fazem-se observações gerais que não se relacionam definitivamente com o sermão; já na introdução, o mensageiro procura despertar a mente dos ouvintes de tal maneira que fiquem dispostos a prestar atenção à mensagem.

Assim,

> a introdução é o processo pelo qual o pregador busca preparar a mente dos ouvintes e prender-lhes o interesse na mensagem que irá proclamar.

A introdução é, pois, parte vital do sermão, cujo êxito muitas vezes depende da habilidade do mensageiro em conquistar a atenção dos ouvintes no início da mensagem. É aconselhável, portanto, tomar o máximo de cuidado em seu preparo.

OBJETIVOS DA INTRODUÇÃO

O pregador pode ter como alvo, na introdução, vários objetivos, que podemos resumir em dois fundamentais.

1. Conquistar a boa vontade dos ouvintes

Mesmo quando da simpatia da congregação para com sua pessoa e seu tema, o mensageiro não deve contar com isso. Com efeito, é bem possível haver uma ou mais pessoas que, por um motivo ou outro, não se simpatizem com o pregador ou com a mensagem que ele irá transmitir. Às vezes, a falta de afinidade deve-se a motivos superficiais e pode ser desfeita sem dificuldade; outras vezes, porém, a indisposição para com o pregador ou para com seu sermão é causada por condições desfavoráveis ou ressentimentos profundos. A introdução, portanto, deve ser apresentada de tal modo que, se possível, consiga a boa disposição de todos.

Contudo, o fator primordial é a pessoa do pregador. O que somos determina a aceitação do que dizemos. A verdade desse ditado mostra-se evidente quando o mensageiro se levanta para transmitir uma mensagem extraída da Palavra de Deus.

2. Despertar interesse pelo tema

Além da falta de simpatia pelo tema da parte de certos indivíduos, outras condições podem interferir na atenção adequada à mensagem. Uma delas é a preocupação com outros elementos. Embora os hinos, a oração e a leitura bíblica, que precedem o sermão, predisponham boa parcela da congregação a uma atitude receptiva à mensagem, haverá muitos que, a despeito do planejamento cuidadoso das partes que antecedem o sermão, estarão preocupados com as próprias alegrias ou pesares, esperanças ou temores, deveres e cuidados. Outro obstáculo à atenção é a indiferença de alguns às verdades bíblicas, porque as coisas espirituais não lhes interessam em nada. Condições como ventilação e iluminação inadequadas, uma porta que bate ou um edifício frio também contribuem para a falta de atenção.

O propósito da introdução é despertar a atenção do povo e desafiar-lhe a mente de tal modo que se interesse ativamente pelo assunto. W. E. Sangster, pastor de Westminster Hall, em Londres, e autor de homilética, diz que o pregador deve certificar-se de que as frases iniciais do sermão possuam "garras de ferro" para prender de imediato a mente dos ouvintes.

PRINCÍPIOS PARA A PREPARAÇÃO DA INTRODUÇÃO

1. A introdução deve ser breve

Como o objetivo da pregação é apresentar aos homens a Palavra de Deus, convém que o pregador prossiga para a parte principal da mensagem logo que possível. Embora seja verdade que, em geral, deve-se entrar no assunto de modo gradual, é aconselhável evitar a tendência para "arrastar-se". Elimine todas as partes não essenciais, incluindo desculpas desnecessárias, piadas ou congratulações esmeradas. Há ocasiões em que saudações cordiais caem bem, particularmente quando o mensageiro ocupa o púlpito como pregador convidado, mas não devem ser extensas.

O seguinte esboço, baseado na história do filho perdido, em Lucas 15.11-24, exemplifica como a introdução deve-se encaminhar rápida e diretamente para o tema.

Título: Perdido e achado

Introdução:

1. Na Feira Mundial de Chicago, com o intuito de ajudar os pais a localizar os filhos extraviados pelo recinto, as autoridades estabeleceram um departamento de "perdidos e achados" para as crianças.
2. O capítulo 15 de Lucas é o "departamento de perdidos e achados" da Bíblia. Nessa passagem, Jesus fala de três coisas

que se perderam e foram achadas: uma ovelha, uma moeda e um filho.

3. A história do filho que se perdeu e foi encontrado exemplifica a vida de um pecador arrependido, que se perdeu, mas é achado.

Assunto: Passos na vida de um pecador arrependido

I. A culpa do pecador (v. 11-13)

II. A miséria do pecador (v. 14-16)

III. O arrependimento do pecador (v. 17-20a)

IV. A restauração do pecador (v. 20b-24)

2. A introdução deve ser interessante

Os primeiros minutos do sermão são extremamente importantes. É nesse momento que o pastor ganha ou perde a atenção dos ouvintes. Se suas observações iniciais forem monótonas, maçantes ou triviais, talvez ele perca, já no início, a receptividade deles. Se, por outro lado, começar o sermão com algo de interesse vital para as pessoas, ele lhes conquistará a atenção de imediato. Mas como estimular o interesse no início do sermão?

Um método de prender a atenção é despertar a curiosidade. As pessoas são curiosas por natureza, e esse traço muitas vezes pode estar presente no início da pregação. Por exemplo, o pregador pode principiar a mensagem com a descrição de uma conversa com um incrédulo. Dirá ele: "Conversando com o homem, a primeira pergunta que ele fez foi: 'Por que a igreja não me deixa em paz?' ". Essa pergunta, levantada pelo descrente, imediatamente despertará a curiosidade da congregação para saber como o mensageiro se saiu, se conseguiu dar uma resposta satisfatória.

Um segundo método para despertar interesse é recorrer à variedade. Não comece todo sermão da mesma maneira: empregue tratamentos diferentes de semana a semana. Você pode iniciar um sermão com uma citação apropriada, outro com uma estrofe de um hino, o terceiro com uma afirmativa brilhante, o quarto com uma pergunta e ainda outro com um desafio quanto à pertinência do tema que irá apresentar. Em alguns sermões, pode-se mencionar o fundo histórico do texto ou a relação dele com o contexto.

Outro meio de despertar atenção é dar o título do sermão ou citar o texto. A seguir, explicar o motivo da escolha do título ou do texto e mostrar sua relação com o tema.

Ainda outra maneira de conquistar o interesse é relacionar o sermão a situações da vida, citando um caso ligado aos problemas e necessidades do cotidiano das pessoas: a descrição de um acidente de carro, no qual alguém saiu ferido; a criança que caiu num poço, mas foi salva; o incêndio de uma casa; o problema de um jovem estudante com seu colega de quarto; o indivíduo que se perdeu na mata e jamais foi encontrado; o êxito de um homem de negócios; um incidente incomum de um evento local. Histórias desse tipo aparecem nos jornais ou nos chamam a atenção no contato diário com as pessoas. O uso de experiências comuns e acontecimentos do momento tornará nossa mensagem mais próxima das pessoas e dará importância à nossa pregação. Jamais conte histórias apenas como entretenimento. Pelo contrário, certifique-se de que os incidentes da vida real se relacionam com o sermão.

Damos a seguir dois exemplos de introdução usando situações reais.

Se estivermos preparando uma mensagem cujo tema é "Cristãos insensíveis", podemos anunciar, como texto, Jonas 1.4,5: "O SENHOR, porém, fez soprar um forte vento sobre o mar, e caiu uma tempestade tão violenta que o barco ameaçava arrebentar-se. Todos os marinheiros ficaram com medo, e cada um clamava ao seu próprio deus. E atiraram as cargas ao mar para tornar o navio mais leve. Enquanto isso, Jonas, que tinha descido ao porão e se deitara, dormia profundamente."

Podemos, então, começar contando o seguinte episódio sobre uma criança de 5 anos, de nome Carol Lee Morgan, que vive perto de Astoria, na parte costeira do estado de Oregon, nos Estados Unidos:

> Carol pegou o telefone e começou a falar com a telefonista: "Minha mãe está doente. Ela não quer falar comigo". A voz infantil

parecia séria. Percebendo tratar-se de uma emergência, a telefonista, Madeline Markham, passou o chamado imediatamente à sua supervisora, Marjorie Forness. A supervisora perguntou o nome completo de Carol, mas a menina não conseguia se lembrar do nome do pai, falecido, ou da mãe. A sra. Forness leu os nomes dos nove Morgan que se encontravam na lista telefônica, e Carol finalmente reconheceu o nome da mãe: "sra. Roberta Morgan". A sra. Forness perguntou então a Carol se ela sabia o nome de alguns dos vizinhos. Depois de muita insistência, Carol lembrou-se da sra. Bud Koppisch, que morava em frente à sua casa. A supervisora telefonou para a sra. Koppisch, que se dispôs a ir imediatamente à residência dos Morgan. Mais tarde, a sra. Forness ficou sabendo que, ao entrar na casa dos Morgan, a sra. Koppisch encontrou dona Roberta quase em estado de coma e providenciou sua remoção para um hospital. Quando Roberta se recuperou e voltou para casa, expressou seu agradecimento às telefonistas pela atenção dada à menina, e as duas senhoras, por sua vez, ficaram felizes por terem podido prestar ajuda a tempo.

Todos nós elogiaríamos as telefonistas por sua capacidade de discernimento e sensibilidade diante de uma necessidade vital. Mas, embora as aplaudamos, façamos a nós mesmos a pergunta: "Estamos nós tão alertas à condição espiritual dos homens, hoje, como as duas funcionárias da companhia telefônica em relação à necessidade dos Morgan?". Enquanto as pessoas vagam mergulhadas na confusão e no desespero, quantos de nós sentem real interesse pela necessidade espiritual delas? Ou será que agimos como Jonas? Embora ele fosse o único no navio que conhecia o Deus vivo e verdadeiro, na hora da necessidade mais profunda dos marujos ele não teve sensibilidade alguma com o desespero ao seu redor.

Suponha que devamos transmitir uma mensagem devocional sobre "O Deus em quem podemos confiar". Podemos iniciar a apresentação com o seguinte incidente a respeito de V. Raymond Edman, ex-presidente da Faculdade de Wheaton, Illinois:

O dr. Edman descreve uma conversa que teve certa ocasião com o gerente do supermercado onde fazia compras. Depois de o gerente descontar um cheque para uma pessoa à sua frente na fila do caixa, o dr. Edman perguntou-lhe se já havia recebido um cheque sem fundos de um estranho. O gerente respondeu, pensativamente: "Não, porque não olho para o cheque, mas para o homem. Se confiar no homem, não hesito em aceitar o cheque". Que lição para nós! Basta olhar para quem fez a promessa, e não questionaremos a sua veracidade.

Fatos atuais em qualquer campo do conhecimento, se apresentados corretamente e de modo interessante, também podem atrair a atenção.

3. A introdução deve levar à ideia dominante, ao ponto principal da mensagem

A introdução deve visar diretamente o assunto. Para tanto, as afirmativas nela contidas devem consistir em ideias progressivas que culminem no objetivo principal do sermão. Todas as citações, explicações, exemplos e incidentes devem ser apresentados com esse propósito. Evite repetições e expressões desajeitadas. A introdução deve ser tão simples e direta quanto possível, sem dar a impressão de pressa ou de interrupção.

Considere o esboço a seguir, no qual a introdução consiste em uma série de ideias progressivas que conduzem ao tema.

Título: A arma secreta de Deus

Texto: Gênesis 18.17-33; 19.27-29

Introdução:

1. Com a descoberta do segredo do átomo, os homens obtiveram um imenso poder destruidor;
2. O segredo que Deus deu a seus filhos tem um poder maior que o de qualquer bomba atômica. As armas nucleares são destrutivas, mas a arma secreta colocada por Deus nas mãos dos

cristãos é construtiva, capaz de efeitos criativos e abençoados.

Assunto: Verdades acerca da arma secreta da oração intercessora

O que revela o texto em relação a essa arma secreta? Da passagem bíblica, podemos aprender três verdades importantes referentes à arma secreta da intercessão, que Deus colocou à disposição dos cristãos.

I. Deus procura homens que orem por outros (18.17-21)
II. Deus ouve as orações dos que intercedem por outros (18. 22-33)
III. Deus responde às orações dos que oram por outros (18.23-32; 19.27-29)

4. A introdução deve consistir em poucas e breves orações ou frases, e cada ideia deve ocupar uma linha diferente

Evite orações longas e compostas. As expressões contidas na introdução abreviada, embora meramente sugestivas, devem ser claras o suficiente para serem lidas com rapidez. Como exemplo, damos uma introdução para o esboço do sermão "O salmo do contentamento", baseado no salmo 23, que foi apresentado no capítulo 3. Para que o leitor veja a relação da introdução com o sermão, reproduzimos o esboço inteiro a seguir.

Título: O salmo do contentamento

Introdução:

1. Pastor de ovelhas em Idaho, com um rebanho de 1.200 ovelhas — incapaz de dar-lhes atenção individual;
2. Contraste com o pastor desse salmo — como se tivesse apenas uma ovelha para cuidar;
3. Todo filho de Deus se identifica com a ovelha apresentada nesse salmo.

Assunto: As bases do contentamento das ovelhas do Senhor

I. O pastor das ovelhas (v. 1)
   1. Um pastor divino (v. 1)
   2. Um pastor pessoal (v. 1)

II. A provisão das ovelhas (v. 2-5)
   1. Descanso (v. 2)
   2. Direção (v. 3)
   3. Conforto (v. 4)
   4. Fartura (v. 5)
III. O futuro das ovelhas (v. 6)
   1. Um futuro brilhante nesta vida (v. 6)
   2. Um futuro abençoado no porvir (v. 6)

7
A proposição

DEFINIÇÃO DE PROPOSIÇÃO

> Proposição é uma declaração simples do assunto que o pregador se propõe apresentar, desenvolver, provar ou explicar. Em outras palavras, é uma afirmativa da principal lição espiritual ou da verdade eterna do sermão reduzida a uma frase declarativa.

A proposição, também chamada *tese*, *grande ideia*, *ideia homilética* ou *tópico frasal*, é, pois, um princípio: uma regra que governa a conduta correta, um fato básico ou uma generalização aceita como verdade. Consiste em uma afirmativa clara da verdade fundamental, eterna e de aplicação universal.

Observe os seguintes exemplos de princípios ou verdades eternas.

- A meditação diária nas Escrituras é vital para o cristão.
- O Senhor quer a adoração que procede do íntimo.
- Quem tem Deus possui tudo que vale a pena ter.
- Deus seleciona instrumentos para preencher nossas necessidades.
- Ninguém pode fugir às consequências do próprio pecado.

- Os que põem Deus em primeiro lugar jamais terão falta de nada.
- O amor a Cristo nos fará esquecer de nós mesmos para servir aos outros.

A Bíblia está cheia de material do qual podemos extrair teses ou ideias principais. Até mesmo um único versículo pode ser fonte de muitos princípios ou verdades eternas. Considere, por exemplo, Efésios 2.8: "Pois vocês são salvos pela graça, por meio da fé, e isto não vem de vocês, é dom de Deus". Desse breve texto, extraímos os seguintes princípios:

- Todo pecador salvo é produto do favor imerecido de Deus.
- Embora a salvação seja gratuita, só se torna nossa se a aceitarmos pela fé.
- A salvação tem origem na graça de Deus.
- A fé recebe o que Deus dá livremente.
- A provisão divina da salvação está inteiramente fora da ação humana.

A IMPORTÂNCIA DA PROPOSIÇÃO

Não há como ressaltar demais a importância de uma proposição correta. Ela é, com efeito, um aspecto essencial no preparo do sermão. São dois os principais motivos.

1. A proposição é o fundamento de toda a estrutura do sermão

A proposição funciona como o alicerce no preparo do sermão. Assim como uma casa não pode ser construída corretamente sem um alicerce sólido, da mesma forma não se constrói um sermão correto sem uma proposição sólida como estrutura de pensamento. Portanto, cada palavra da proposição deve expressar corretamente a ideia principal do sermão.

Assim formulada, a proposição possibilita ao pregador organizar seu material em torno da ideia dominante. Muitos aspectos podem ser introduzidos no sermão; mas tudo, do começo ao fim, deverá relacionar-se com o princípio específico e único revelado na proposição. Seguindo essa verdade principal, o pregador pode reconhecer o que é pertinente ao sermão e o que dele deve ser excluído. Quando, porém, a proposição não é corretamente formulada, toda a estrutura de pensamento se enfraquece ou se desorganiza.

2. A proposição indica claramente o rumo que o sermão deve tomar

Uma proposição correta beneficia não só o pregador, mas também a congregação. Quando o pregador dá início ao sermão, quase instintivamente os ouvintes perguntam a si mesmos: "O que ele vai dizer acerca do assunto?". Se a mensagem não tem um objetivo claramente proposto, não será fácil acompanhá-la, e provavelmente não terá a atenção do auditório. No entanto, se já no início o orador esclarecer perfeitamente a direção a seguir, possibilitará aos ouvintes acompanhar a mensagem de modo fácil e inteligente.

Examine os esboços na parte final deste capítulo, e também nos capítulos posteriores, e observe como a tese em cada caso prepara o terreno para a compreensão da mensagem que a sucede.

O PROCESSO DE DESENVOLVIMENTO DA PROPOSIÇÃO

Criar a proposição é uma das tarefas mais difíceis para o principiante. Por ser tão importante a exposição clara do assunto, é imperativo que o pregador aprenda a fazê-la com acerto.

Às vezes, a grande ideia vem à mente do pregador logo no início do sermão, mas, geralmente, a descoberta da verdade principal da passagem e o consequente preparo da proposição resultam dos passos dados na elaboração da mensagem, que apresentamos a seguir.

1. Estudo exegético completo da passagem

Já ressaltamos, nos capítulos 2 e 3, que um exame cuidadoso do texto é indispensável para a correta compreensão de seu significado. Em outras palavras, a exegese cuidadosa é pré-requisito para a exposição correta e fiel de qualquer trecho da Palavra de Deus.

2. Apresentação da ideia exegética

Completada a exegese, o passo seguinte é descobrir a ideia principal da passagem. Nos capítulos anteriores, evitamos referências à proposição e nos limitamos, na declaração do esboço, a termos como "assunto", "ideia dominante" ou "tema".

Em seu tratado sobre homilética, Haddon W. Robinson expande a ideia do que anteriormente chamamos assunto ou tema, denominando-o *ideia exegética*. Ela consiste em duas partes: um sujeito e um ou mais complementos. Sujeito é aquilo sobre o que o pregador vai falar, enquanto o complemento consiste no que ele irá dizer acerca do sujeito. A ideia exegética, portanto, combina o sujeito com o complemento em um enunciado.

Todo trecho bíblico contém um sujeito e, pelo menos, um complemento. A tarefa do pregador é descobrir o sujeito e o que o texto diz sobre ele. Se não for capaz de fazê-lo, com toda a probabilidade o aluno terá apenas uma vaga noção do conteúdo da passagem e não estará em condições de expô-la com clareza.

A aplicação das interrogativas *quem?*, *o quê?*, *por quê?*, *como?*, *quando?* e *onde?* ao conteúdo da passagem, muitas vezes, ajuda a descobrir o sujeito.

Às vezes, uma paráfrase da unidade expositiva toda ajuda-nos a descobrir o sujeito e o complemento. Outras vezes, um *layout* estrutural da passagem permite a análise de seu conteúdo, ao destacar o relacionamento de orações independentes e subordinadas (v. o exemplo do cap. 3) e oferece pistas para a compreensão do texto.

Apresentamos a seguir quatro passagens, das quais desejamos extrair ideias exegéticas. Fazer a exegese desses textos foge ao escopo deste livro. Supomos, portanto, que esse estudo, necessário, já tenha sido feito.

Nosso primeiro exemplo é tirado de Marcos 16.1-4.

> Quando terminou o sábado, Maria Madalena, Salomé e Maria, mãe de Tiago, compraram especiarias aromáticas para ungir o corpo de Jesus. No primeiro dia da semana, bem cedo, ao nascer do sol,

> elas se dirigiram ao sepulcro, perguntando umas às outras: "Quem removerá para nós a pedra da entrada do sepulcro?"
>
> Mas, quando foram verificar, viram que a pedra, que era muito grande, havia sido removida.

Procurando descobrir o sujeito, fazemos a pergunta: "De que ou de quem trata a passagem? Dos aromas, da pedra, ou tem algo que ver com o problema que as mulheres discutiam?". Um primeiro exame da passagem logo indica que a ideia principal se refere às mulheres. Perguntamos, então: "Que mulheres?" ou "Quem eram essas mulheres?". Um pouco mais de reflexão indicará o elemento essencial da narrativa: "As mulheres que foram ao sepulcro a fim de ungir o corpo de Jesus". Encontramos, assim, o sujeito do texto.

Agora vamos procurar o complemento, isto é, o que a passagem diz acerca dessas mulheres. Para isso, reunimos vários fatos, como o nome delas, o dia, as substâncias que levavam, a hora, a conversa, o problema que discutiam e como ele foi inesperadamente resolvido. Há fatos demais para um único enunciado. Portanto, resumimos todos eles em dois complementos. Primeiro: "Estavam preocupadas com a pedra, grande demais para ser removida da porta do túmulo"; segundo: "Descobriram que a pedra já havia sido removida antes de chegarem ao túmulo".

Nossa tarefa seguinte é afirmar a ideia básica da passagem, isto é, o sujeito e o complemento, em um enunciado único e completo. Assim, expressamos a ideia exegética no seguinte enunciado: "As mulheres, a caminho do túmulo para ungir o corpo de Jesus, preocupavam-se com um problema grande demais para elas, porém já resolvido antes de elas terem de enfrentá-lo".

Tomemos Gálatas 3.13 como nosso segundo exemplo.

> Cristo nos redimiu da maldição da Lei quando se tornou maldição em nosso lugar, pois está escrito: "Maldito todo aquele que for pendurado num madeiro".

Lendo o texto com atenção, veremos que o sujeito — sobre o que fala o versículo — é a redenção da maldição da Lei. O complemento

— o que a passagem diz do sujeito — é que ela foi realizada quando Cristo se tornou maldição em nosso lugar, ao ser pendurado na cruz. Unindo o sujeito ao complemento, podemos apresentar a ideia exegética da seguinte maneira: "Nossa redenção da maldição da Lei foi realizada por Cristo, que recebeu a maldição por nós".

Nosso terceiro exemplo é extraído de Lucas 15.1,2:

> Todos os publicanos e "pecadores" estavam se reunindo para ouvi-lo. Mas os fariseus e os mestres da lei o criticavam: "Este homem recebe pecadores e come com eles".

Examinando cuidadosamente esses versículos, vemos que o sujeito é a reclamação dos fariseus e escribas contra Jesus. O complemento é o que o texto diz acerca dessa reclamação, a saber, que Jesus recebia pecadores e comia com eles. Agora, combinemos o sujeito com o complemento em uma ideia exegética: "Os fariseus e os escribas reclamavam porque Jesus recebia pecadores e comia com eles".

Para nosso exemplo final, consideremos Filipenses 1.9-11:

> Esta é a minha oração: Que o amor de vocês aumente cada vez mais em conhecimento e em toda a percepção, para discernirem o que é melhor, a fim de serem puros e irrepreensíveis até o dia de Cristo, cheios do fruto da justiça, fruto que vem por meio de Jesus Cristo, para glória e louvor de Deus.

Qual é sujeito desses versículos? De que tratam? Não é difícil perceber que constituem uma oração feita por Paulo a favor dos cristãos de Filipos. Quanto ao complemento, o que diz o texto acerca das petições de Paulo por esses cristãos? O versículo 9 revela claramente o tipo de oração: o apóstolo pede que o amor dos cristãos aumente cada vez mais. Os versículos 10 e 11 indicam que, como resultado de um amor maior, esses santos do Novo Testamento estariam de posse de um discernimento espiritual e de certas graças específicas do caráter cristão, contribuindo, assim, para a glória de Deus. Portanto, o sujeito é "A oração de Paulo pelos cristãos de Filipos", ao qual juntamos dois complementos: "Um pedido para que o amor deles aumentasse, o qual tinha, como duplo objetivo, a posse de um discernimento espiritual e das graças do caráter cristão que conduzem ao louvor a Deus".

O sujeito e os complementos evocam, pois, o seguinte conceito exegético: "Paulo orou para que os santos de Filipos crescessem em amor a ponto de possuir discernimento espiritual e traços do caráter cristão, para glória de Deus".

Alguns trechos da Palavra são muito mais complexos que examinados aqui, especialmente algumas seções dos Profetas e das Epístolas. A habilidade de discernir o sujeito e o complemento, em tais casos, requer, em geral, um exame especial do texto de acordo com os princípios exegéticos.

3. A descoberta da verdade principal que a passagem parece transmitir

A ideia exegética, em geral, difere da proposição ou ideia homilética. A primeira é uma afirmativa, em um único enunciado, do que o texto diz, enquanto a última consiste em uma verdade espiritual ou princípio eterno, transmitido pela passagem.

Há casos em que a ideia exegética e a verdade eterna ou ideia homilética coincidem. Por exemplo, em Gálatas 6.7: "O que o homem semear, isso também colherá". Esse texto é, ao mesmo tempo, uma declaração do conteúdo de Gálatas 6.7,8, bem como um princípio universal aplicável a todos os homens, em todos os lugares.

Contudo, quando a ideia exegética não consiste em uma verdade fundamental, o homem de Deus pode perguntar: "Que diz o texto em relação a mim?" ou "Que verdade vital e eterna a passagem pretende ensinar?".

É nesse ponto que o exegeta, muitas vezes, sente quanto depende do Espírito de Deus para receber iluminação acerca da lição espiritual a ser apresentada ao povo, segundo o desejo do Senhor. É também nesse momento que a ideia exegética fornece apoio à proposição.

Exemplificaremos esse ponto com a primeira ideia exegética formulada neste capítulo, tirada do relato de Marcos 16.1-4. A ideia exegética foi: "As mulheres, a caminho do túmulo para ungir o corpo de Jesus, preocupavam-se com um problema grande demais para elas, porém já resolvido antes de elas terem de enfrentá-lo".

Dessa ideia exegética, somos levados à seguinte tese ou princípio: "Os filhos do Senhor às vezes enfrentam problemas grandes demais para eles". Podemos, é claro, derivar muitas outras verdades eternas de nossa ideia exegética. Eis duas delas: "Às vezes, preocupamo-nos sem necessidade com problemas que nem mesmo existem"; "Deus é maior do que qualquer problema que tenhamos de enfrentar".

Notemos agora alguns exemplos de ideias exegéticas derivadas de passagens discutidas em capítulos anteriores e observemos como elas nos levam a definir a proposição.

A primeira é extraída de Esdras 7.10: "Esdras havia decidido tornar-se um homem que Deus podia usar em Israel". Podemos afirmar uma verdade eterna, dizendo: "Deus usa o homem que põe as coisas importantes em primeiro lugar".

Nossa segunda ideia baseia-se em João 3.16: "Por causa de seu amor ao mundo, Deus deu seu Filho Unigênito para que os homens sejam salvos mediante a fé nele". Dessa afirmativa, podemos derivar a seguinte verdade eterna: "A dádiva de Deus, seu Filho, é o único meio de salvação do homem".

Vejamos outro exemplo, extraído de Efésios 6.10-18: "O cristão encontra-se em um combate espiritual no qual recebe direção e provisão para se tornar um guerreiro bem-sucedido". Nossa ideia homilética será: "Na guerra espiritual em que se encontra, o cristão pode ter a certeza de que será um guerreiro bem-sucedido".

Como exemplo final, definimos a ideia exegética tirada do salmo 23: "As bases do contentamento das ovelhas do Senhor descansam em quem seu Pastor é, tanto no que faz por elas quanto no que tem reservado para elas no futuro". Esse conceito exegético leva à seguinte proposição: "Cada indivíduo que diz pertencer ao Senhor possui bases próprias de contentamento".

4. Afirmativa da proposição em um enunciado sucinto e direto

Ao cristalizar-se a proposição na mente do orador, talvez ele tenha de reformulá-la a fim de expressá-la em um enunciado conciso e vigoroso. Ao mesmo tempo, deve certificar-se de que ela revele fielmente o conceito da passagem bíblica.

Pode acontecer também de o pregador ter de reorganizar ou reconstruir todo o plano do sermão a fim de observar esse princípio vital.

Examinando novamente nossa proposição sobre o salmo 23, podemos reformulá-la, transformando-a na seguinte afirmativa simples: "O contentamento é a prerrogativa feliz de todo filho de Deus".

PRINCÍPIOS PARA A FORMULAÇÃO DA PROPOSIÇÃO

1. A proposição deve expressar, em um enunciado completo, a ideia principal ou essencial do sermão

Como já vimos, a proposição é uma afirmativa da verdade principal que o pregador se propõe a apresentar no sermão. Quando corretamente formulada, promove a unidade estrutural da mensagem. Se for introduzida mais de uma ideia importante na proposição, destrói-se de imediato a unidade estrutural do sermão. Eis um exemplo de uma afirmativa com duas ideias: "As Escrituras nos ensinam a ter uma vida santa e a ser servos fiéis de Cristo". Temos aqui duas proposições, o que torna impossível um sermão com uma única unidade de pensamento.

Todavia, a ideia essencial do sermão, para expressar um pensamento completo, deve ser apresentada em um enunciado completo. Isto é, a afirmativa deve consistir nas duas partes principais já mencionadas: um sujeito, aquilo de que pretendemos falar; um predicado, o que vamos dizer a respeito do sujeito. Por exemplo, podemos selecionar, como tema de nosso sermão, "A segunda vinda de Cristo". Sozinho, esse tópico nos daria uma ideia incompleta, por não informar o que dizer acerca do sujeito. Portanto, precisamos acrescentar um predicado, que sempre inclui um verbo, a fim de nos expressarmos com precisão acerca do sujeito. Acrescentamos então ao sujeito a frase "é a esperança dos cristãos que sofrem". Unindo o sujeito ao predicado, temos agora uma ideia completa em uma só frase: "A segunda vinda de Cristo é a esperança dos cristãos que sofrem."

2. A proposição deve ser um enunciado afirmativo

A tese, ou tópico frasal, deve ser uma afirmativa explícita e positiva, e não negativa. A oração "Honramos ao Senhor, louvando-o por seus benefícios" é afirmativa. Mas se dissermos: "Não honramos ao Senhor quando reclamamos das circunstâncias", fazemos uma declaração negativa.

Observe, no esboço a seguir, como a tese ou proposição é expressa em uma oração afirmativa.

Título: A vida de dependência
Proposição: A vida cristã é uma vida de constante dependência.

I. Dependemos de Cristo para a salvação (Tito 3.5).
II. Dependemos da Palavra de Deus para o crescimento espiritual (1Pedro 2.2).
III. Dependemos da oração para o poder espiritual (Tiago 5.15).
IV. Dependemos da comunhão para o encorajamento mútuo (1João 1.3).

3. A proposição deve ser uma verdade eterna, em geral formulada no tempo presente

A proposição é um princípio ou verdade universal; é um padrão para a vida ou conduta. Daí a necessidade imperativa de ser sadia, no sentido bíblico. Em geral, deve ser formulada com o verbo no presente.

Todavia, como já indicamos na primeira regra, não se pode expressar completamente uma verdade em um fragmento de frase ou oração, e sim em uma oração completa, com sujeito e predicado. Por exemplo, a expressão "A necessidade do povo de Deus em tempos de tribulação" não é uma declaração afirmativa e não contém uma verdade. Não passa de um fragmento de oração. Se o pregador tentasse usá-lo como proposição, o resultado seria a ambiguidade e o vazio no desenvolvimento do sermão. Mas, se dissermos: "O povo de Deus sempre pode ir a ele em tempos de tribulação", teremos uma afirmativa válida para todos os tempos e de alcance universal.

E óbvio, também, que uma ordem não é um princípio, por não expressar uma verdade eterna. Uma ordem não é uma oração afirmativa. Assim, seria incorreto expressar a proposição da seguinte maneira: "Seja diligente em sua obra".

Além disso, uma verdade eterna não inclui referências geográficas ou históricas nem faz uso de nomes próprios, a não ser os da divindade. Por isso, seria incorreto dizer: "Assim como o Senhor chamou Amós de Tecoa, na terra de Judá, a fim de pregar no Reino do Norte, ele chama alguns hoje para ir a outras terras a fim de servi-lo". Em vez disso, podemos dizer: "O Senhor, em sua soberania, chama cristãos para servi-lo onde ele quiser".

4. A proposição deve ser formulada com simplicidade e clareza

Jamais deve haver ambiguidade ou imprecisão. Por exemplo, se desejamos expressar como proposição a frase "O trabalho traz recompensas", talvez a congregação comece a perguntar-se: "Que trabalho traz recompensas?"; "De quem é o trabalho que traz recompensas?"; "Quando o trabalho traz recompensas?"; "Que tipo de recompensas a pessoa recebe por seu trabalho?".

Contudo, embora seja necessário expressar a ideia homilética com clareza, não é preciso empregar linguagem difícil e rebuscada. Ao contrário, a redação deve ser simples e clara, de modo que o sentido seja imediatamente inteligível. Por exemplo, se planejamos falar a respeito do testemunho cristão, podemos apresentar a proposição: "O cristão alegre é uma testemunha eficaz de Cristo".

5. A proposição deve ser a afirmação de uma verdade vital

Ao apresentar uma mensagem tirada das Escrituras, o pregador lida com reações humanas básicas como medo, culpa, frustração, pesar, desapontamento, angústia, amor, alegria, perdão, paz, graça, esperança e muitas outras emoções e aspirações. Assim, a proposição, que é o âmago do sermão, deve ser expressa em termos que tenham importância para a vida dos indivíduos.

Meras trivialidades não devem encontrar lugar na tese. Por exemplo, frases como "Os peixes nadam rio acima" ou "Gosto não se discute", embora sejam universalmente verdadeiras, não têm significação especial, pois não influem nos assuntos mais importantes da vida.

O mensageiro deve, portanto, formular a proposição na forma do que corretamente se chama grande ideia, um conceito que expresse algo vital ou importante. Em outras palavras, uma oração, ou enunciado, plena de sentido ou significação para os ouvintes.

6. A proposição deve ser específica

A verdade eterna a ser expressa na proposição deve limitar-se ou restringir-se a um conceito específico. Se apresentarmos a grande ideia em termos demasiadamente gerais, faltará a ela vigor, e assim não desafiará o interesse dos ouvintes. As afirmativas seguintes entram nessa categoria.

"Há grande valor na oração."
"Os pais devem disciplinar os filhos."
"Devemos estudar a Palavra de Deus."
"Cristo ama os perdidos."

Observe nas quatro afirmativas a seguir como, em cada caso, temos uma declaração que, por ser limitada, é vigorosa e direta.

"O cristão que ora exerce poderosa influência."
"Os pais, ao disciplinar os filhos, têm de exercitar sabedoria."
"O estudo da Palavra de Deus produz grandes benefícios."
"O amor de Cristo alcança todos os pecadores."

7. A proposição deve ser apresentada tão concisamente quanto possível, sem perda da clareza

A tese eficaz deve ser apresentada da maneira mais breve possível, contanto que não se sacrifique a clareza. Daí, ao formular a proposição, é necessário que o pregador evite afirmativas longas e vagas. Em outras palavras, a proposição deve consistir em uma oração simples e clara. Uma boa regra é limitar a oração a 17 palavras ou menos. Uma oração mais longa reduzirá sua eficácia. Note a tese concisa do seguinte esboço:

Título: A vida triunfante

Texto: Filipenses 1.12-21

Proposição: Os cristãos podem ser gloriosamente triunfantes em Cristo.

I. Em meio à adversidade, como Paulo (v. 12-14).
II. Em meio à oposição, como Paulo (v. 15-19).
III. Diante da morte, como Paulo (v. 20,21).

É preciso ressaltar que a proposição não é uma afirmativa formal das divisões principais. O objetivo da proposição não é revelar o plano do sermão, mas apresentar, em termos simples, a ideia principal em forma de verdade eterna. Cada divisão do sermão deve originar-se da tese e desenvolver um aspecto pertinente a ela. Se fôssemos usar o esboço que acabo de apresentar, seria incorreto elaborar uma proposição como esta: "Os cristãos podem ser gloriosamente triunfantes em face da adversidade, da oposição e da morte".

COMO RELACIONAR A PROPOSIÇÃO ÀS DIVISÕES PRINCIPAIS

Em geral, a proposição vem ligada ao sermão por uma pergunta, seguida de uma oração de transição.

Usa-se qualquer um dos cinco advérbios interrogativos — "por que", "como", "que", "quando" e "onde" — para ligar a proposição aos pontos principais do sermão. Por exemplo, no esboço "A vida de dependência", apresentado anteriormente neste capítulo, a proposição foi: "A vida cristã é de constante dependência". A essa proposição deve agora seguir a pergunta: "Por que a vida cristã é de constante dependência?".

A oração interrogativa leva à de transição, que, por sua vez, une a proposição às divisões principais e fornece uma progressão suave para elas. Ao mesmo tempo, as orações interrogativas e transicionais indicam como a ideia homilética será desenvolvida, elucidada ou explicada no corpo do sermão. Observe os exemplos de proposições apresentados neste capítulo, nos quais seguem-se orações interrogativas e de transição, e note que em cada caso a pergunta que segue a proposição e a oração de transição, depois da oração interrogativa, indica claramente como a proposição será desenvolvida.

A oração de transição deve sempre conter uma palavra-chave que classifique ou delineie a característica dos pontos principais do sermão. Usando o mesmo exemplo de "A vida de dependência", podemos formular a oração transicional da seguinte maneira: "Vários são os motivos pelos quais podemos dizer que a vida cristã é de constante dependência". Obviamente, a palavra "motivos" relaciona a proposição aos pontos principais, e cada divisão principal expressará os motivos pelos quais a vida cristã é de dependência constante.

Para que o aluno compreenda essas instruções com clareza, repetimos o esboço de "A vida de dependência", com a ideia homilética, a pergunta e a oração de transição na sequência devida.

Título: A vida de dependência

Proposição: A vida cristã é uma vida de constante dependência.

Oração interrogativa: Por que a vida cristã é de constante dependência?

Oração de transição: Vários são os motivos pelos quais podemos dizer que a vida cristã é de constante dependência.

I. Dependemos de Cristo para a salvação (Tito 3.5).

II. Dependemos da Palavra de Deus para o crescimento espiritual (1Pedro 2.2).
III. Dependemos da oração para o poder espiritual (Tiago 5.15).
IV. Dependemos de comunhão para o encorajamento mútuo (1João 1.3).

A palavra-chave é um instrumento homilético útil, que possibilita caracterizar ou classificar, na oração de transição, as divisões principais do sermão. O esboço, é claro, deve possuir unidade estrutural. Sem essa unidade, não pode haver uma palavra-chave que ligue a oração de transição a cada divisão principal e às divisões principais entre si. Portanto, um bom teste da unidade estrutural do esboço é ver se podemos aplicar a mesma palavra a cada uma das divisões principais.

No capítulo 3, preparamos o seguinte esboço expositivo sobre Lucas 15.25-32:

Título: O fariseu ontem e hoje

Assunto: Aspectos do farisaísmo vistos no caráter do irmão mais velho

I. Era um homem de justiça própria (v. 29,30).
II. Era um homem sem amor (v. 28.30).
III. Era um homem crítico (v. 25-30).
IV. Era um homem teimoso (v. 28-32).

Agora, apresentamos a proposição, a oração interrogativa e a oração de transição:

Proposição: O Senhor detesta o espírito de farisaísmo.

Oração interrogativa: Quais os aspectos desse espírito que o Senhor detesta?

Oração de transição: As atitudes do irmão mais velho, vistas na descrição de seu caráter, manifestam o espírito de farisaísmo que o Senhor detesta.

"Atitudes" é aqui a palavra-chave na oração de transição.

Mudemos, de propósito, a última divisão principal, a fim de destruir a unidade estrutural do esboço:

I. Era um homem de justiça própria (v. 29,30).
II. Era um homem sem amor (v. 28-30).
III. Era um homem crítico (v. 25-30).
IV. O pai preocupava-se com a atitude do irmão mais velho (v. 28-32).

Agora, é impossível ligar a oração de transição corretamente a esse esboço, porque a palavra-chave "atitudes" já não pode ser aplicada a todas as divisões principais.

Para que o aluno compreenda mais claramente a relação da tese com a oração de transição, mostramos a seguir três esboços para os quais apresentamos a proposição, a oração interrogativa, a oração de transição e a palavra-chave.

Título: Aproveitando as oportunidades

Proposição: O cristão alerta descobre que, muitas vezes, apresentam-se oportunidades incomuns para alcançar os perdidos.

Oração interrogativa: Quando é provável que tais oportunidades aconteçam?

Oração de transição: Essas oportunidades provavelmente surgirão em ocasiões especiais na vida do perdido.

Palavra-chave: Ocasiões

I. Quando a dor atinge seu lar
II. Em épocas de perigo
III. Em épocas de enfermidade

Título: Um ministério exemplar

Texto: 1Tessalonicenses 2.1-12

Proposição: O servo de Deus tem um padrão exemplar para o seu ministério.

Oração interrogativa: Quais as características desse padrão para o ministério?

Oração de transição: De acordo com 1Tessalonicenses 2.1-12, o ministério de Paulo exemplifica quatro características verdadeiras no ministério do servo de Deus hoje.

Palavra-chave: Características

I. Deve possuir audácia santa (v. 1,2)
II. Deve possuir fidelidade a Deus (v. 3-6)
III. Deve possuir espírito generoso (v. 7-9)
IV. Deve possuir integridade de conduta (v. 10-12)

Título: A mente de Cristo

Texto: Filipenses 2.5-8

Proposição: O cristão semelhante a Cristo é aquele que possui a mente de Cristo.

Oração interrogativa: Que aspectos da semelhança com Cristo se subentendem na expressão "mente de Cristo"?

Oração de transição: Em Filipenses 2.5-8, descobrimos que são dois os aspectos da semelhança com Cristo subentendidos na expressão "mente de Cristo".

Palavra-chave: Aspectos

I. Esvaziamento de si mesmo, como o de Cristo (v. 6,7)
II. Humilhação, como a de Cristo (v. 8)

PALAVRAS-CHAVE APROPRIADAS

A transição suave da ideia homilética para as divisões principais é de suma importância para a linha de pensamento do sermão. Uma transição desajeitada ou defeituosa pode desencaminhar o ouvinte e reduzir a eficácia da mensagem. Por ser a palavra-chave uma parte essencial da oração de transição, é preciso muito cuidado na sua escolha. A palavra "coisas" tem significado muito genérico para ser utilizada como palavra-chave. O aluno deve ter como alvo o uso de uma palavra específica, que caracterize corretamente as divisões principais.

Tendo em vista ajudar o pregador a descobrir a palavra-chave apropriada, damos uma lista das mais usadas em orações de transição.

abordagens
ações
acontecimentos
advertências
afirmações
alegrias
alvos
aplicações
argumentos
artigos
aspectos
atitudes
atributos
bênçãos
benefícios
causas
chaves
crenças
critérios
deficiências
desejos
diferenças
distinções
doutrinas
efeitos
elementos
empecilhos
empreendimentos
ensinos
erros
esperanças
evidências
exemplos
exigências
expressões
fardos
fatores
fatos
fontes
funções
ganhos
garantias
grupos
hábitos
ideais
ideias
ilustrações
impedimentos
inferências
instrumentos
itens
juízos
leis
lições
limites
listas
manifestações
marcas
medidas
meios
métodos
motivos
necessidades
nomes
objeções
objetivos
observações
obstáculos
ocasiões
ordens
palavras
paradoxos
partes
passos
pecados
pensamentos
perdas
perigos
períodos
pontos
práticas
problemas
proposições
provas
razões
reações
regras
reivindicações
respostas
rotas
salvaguardas
segredos
sugestões
tendências
tipos
tópicos
usos
valores
vantagens
verdades
virtudes

FORMAS ALTERNATIVAS DE PROPOSIÇÃO

Para evitar a monotonia, algumas autoridades em homilética permitem substituir a afirmação de uma verdade eterna pela forma interrogativa, exortativa ou exclamativa de proposição.

Na forma interrogativa, o pregador simplesmente omite a afirmação da verdade eterna. Assim, no esboço anterior "A vida de dependência", a ideia dominante do sermão é apresentada na oração interrogativa: "Por que a vida cristã é de constante dependência?".

Na forma exortativa, o pregador tem como alvo encorajar ou exortar os ouvintes a adotar certos cursos de ação. Observe como a forma exortativa é usada no esboço a seguir.

Título: O estudante mais sábio

Forma alternativa: Estudemos a Palavra de Deus diligentemente

I. Para que cresçamos na vida cristã (1Pedro 2.2)

II. Para que sejamos aprovados de Deus como seus obreiros (2Timóteo 2.15)

III. Para que sejamos totalmente equipados para o serviço cristão (2Timóteo 3.16,17)

IV. Para que sejamos transformados à semelhança de Cristo (2Coríntios 3.18)

A oração exclamativa é usada quando se deseja dar ênfase especial ao assunto. Por exemplo, se quiser acentuar as bênçãos que o cristão possui em Cristo, como reveladas em Efésios 1.3-14, o pregador poderá utilizar a forma sugerida neste esboço:

Título: Sumamente abençoado

Forma alternativa: Quão maravilhosas são as bençãos que temos em Cristo!

I. Fomos escolhidos nele (v. 4)

II. Somos redimidos nele (v. 7)

III. Somos feitos herdeiros nele (v. 11,13)

IV. Somos selados nele (v. 13)

Alguns autores ensinam que uma afirmação clara do objetivo da mensagem pode, às vezes, constituir uma alternativa legítima e muito apropriada a uma proposição. Muitos pregadores, com efeito, conseguem comunicar a verdade com eficiência, desenvolvendo uma ideia central, ou tema, como o foco do sermão, sem o uso de uma proposição claramente definida. Em um sermão desse tipo, incluir algumas verdades eternas retiradas do texto, especialmente no final da mensagem, ajudará o auditório a perceber como o texto bíblico se aplica ao mundo atual em que vivem. Observe em Neemias 1.1—2.8 o seguinte esboço sobre o assunto "Neemias, um homem de oração":

Título: Poder mediante a oração

I. Ele percebeu a necessidade de oração... (1.1-3).
   1. ... com referência à sorte de seu povo (1.1-3).
   2. ... com referência às condições de Jerusalém, o lugar de adoração (1.1-3).
   3. ... a despeito do próprio conforto (1.1,2,11).

II. Fez o tipo certo de oração... (1.4-11).
   1. ... com espírito sincero (1.4).
   2. ... com coração contrito (1.5-7).
   3. ... com fé nas promessas de Deus (1.8,9).
   4. ... com pedidos específicos (1.10,11).

III. Obteve resultados gloriosos por meio da oração... (2.1-8).
   1. ... em respostas diretas a seus pedidos (2.1-8).
   2. ... pela mão graciosa de Deus sobre ele (2.8).

No corpo desse sermão ou, de preferência, na conclusão, podemos apresentar as seguintes verdades eternas retiradas da passagem e trabalhar sobre elas.

- Deus, do céu, alegra-se em ouvir as orações de seu povo na terra.
- Devemos preencher as condições prescritas por Deus, se desejamos ver intervenções divinas a nosso favor.
- O Senhor não tem substituto para a confissão — deve-se lidar definitivamente com o pecado, de modo severo e completo.
- Deus realiza ações aparentemente impossíveis para os que oram a ele.

Uma boa tese para esse esboço, que contém uma verdade eterna definida anteriormente neste capítulo, seria: "A oração fervorosa do homem santo tem poder maravilhoso". A oração interrogativa seria: "Como se revela essa verdade na passagem que temos diante de nós?". A oração de transição: "Estudando três fatos principais referentes a Neemias, um homem de oração, nesse trecho da Bíblia veremos como se exemplifica essa verdade". E o sermão seguiria naturalmente, de acordo com as linhas expostas.

Até mesmo uma narrativa bíblica pode ser mais facilmente compreendida e lembrada quando a apresentamos de acordo com um plano simples. Observe a eficácia deste esboço de David W. Fant, baseado na história do bom samaritano, de Lucas 10.30-37:

I. O homem que precisava de um amigo (v. 30);
II. Os dois homens que deviam ter sido amigos (v. 31,32);
III. O homem que foi amigo (v. 33-37).

A narrativa refere-se a quatro homens, e os pontos levam ao samaritano que provou ser amigo de verdade. Portanto, o propósito óbvio da história é ensinar nossa responsabilidade para com alguém necessitado de um amigo.

Embora as formas alternativas apresentadas nesta seção proporcionem variedade na formulação da tese, aconselhamos o principiante a evitá-los até dominar por completo a técnica da criação de proposições, de acordo com os princípios apresentados neste capítulo.

Também insistimos em que o pregador, ao empregar uma das formas alternativas, lembre-se de usar os elementos de transição que conduzem ao corpo do sermão. Por exemplo, no esboço que usa a exclamação "Quão maravilhosas são as bênçãos que temos em Cristo!", podemos fazer a transição mediante uma afirmativa: "Agora consideremos essas bênçãos uma por uma, enquanto examinamos o trecho da carta aos Efésios".

O LUGAR DA PROPOSIÇÃO NO ESBOÇO

A proposição deve, em geral, vir no final da introdução. A introdução leva à proposição, que, juntamente com suas orações interrogativas e de transição, conduz ao corpo principal do sermão. Observe, no esboço a seguir, como isso é feito.

Título: O salmo do contentamento

Texto: Salmos 23

Introdução:

1. Pastor de ovelhas em Idaho, com um rebanho de 1.200 ovelhas — incapaz de dar-lhes atenção individual.
2. Contraste com o pastor desse salmo — como se tivesse apenas uma ovelha para cuidar.
3. Todo filho de Deus se identifica com a ovelha apresentada nesse salmo.

Proposição: O contentamento é a prerrogativa feliz de cada filho de Deus

Oração interrogativa: Em que se baseia esse contentamento?

Oração de transição: O filho de Deus aprende, com esse salmo, que, como ovelha do Senhor, seu contentamento se baseia em três dados em relação às ovelhas.

I. O pastor das ovelhas (v. 1)
II. A provisão das ovelhas (v. 2-5)
III. O futuro das ovelhas (v. 6)

Ao desenvolver o sermão dessa maneira, propondo a tese antes dos pontos que a explicam ou provam, estamos usando o método dedutivo. Esse é o método mais frequentemente empregado nos textos de homilética e é o que, na maioria das vezes, também usamos.

Há ocasiões, entretanto, em que o pregador deseja ocultar o objetivo do sermão até o fim, usando os pontos principais para chegar à afirmativa da verdade eterna. Os seguintes exemplos mostram como fazê-lo.

Título: Cometendo suicídio nacional

Texto: 2Reis 17.7-23

I. Uma nação pode pecar voluntariamente contra o Senhor, como o fez Israel v. (7-12)

II. Uma nação pode endurecer-se contra o Senhor, como o fez Israel (v. 13,14)
III. Uma nação pode rejeitar a Palavra de Deus, como o fez Israel (v. 15,16)
IV. Uma nação pode vender-se ao mal aos olhos do Senhor, como o fez Israel (v. 16,17)

Proposição: Uma nação não pode escapar ao juízo divino que resulta da própria culpa.

Conclusão: Isso foi verdade quanto a Israel, e o juízo que jaz sobre ele até hoje é um lembrete constante da retribuição de Deus sobre a transgressão de um país.

Mediante o uso de quatro exemplos tirados da história de Israel e de sua propensão para o mal, apresentamos um princípio segundo o qual uma nação destrói a si própria. Esse procedimento, no qual os pontos do esboço levam à proposição, é chamado de método indutivo. A seguir, damos outro exemplo desse método.

Título: Como ser salvo
I. Pode a igreja salvar-nos?
II. Pode o batismo salvar-nos?
III. Podem as boas obras salvar-nos?
IV. Podem as boas intenções salvar-nos?

Proposição e conclusão: Só a obra de Jesus Cristo na cruz pode salvar-nos do pecado (Efésios 2.8,9; Atos 4.12)

EXERCÍCIOS

1. Segue uma relação de nove passagens breves, cujos sujeitos e predicados não devem ser difíceis de descobrir. Escreva o sujeito e o complemento ou complementos de cada passagem: Gênesis 15.1; Êxodo 15.22-26; Josué 5.13-15; Salmos 126.1-6; Isaías 1.18; Amós 7.10-17; 1Coríntios 4.1,2; Efésios 4.1-3; 1Pedro 3.7.
2. Com base no sujeito e complemento que você encontrou para as nove passagens do exercício anterior, apresente uma ideia

exegética apropriada na forma de oração completa para cada uma delas.

3. Quais das seguintes afirmativas preenchem as qualificações da proposição como apresentada neste capítulo?

(1) Você já louvou a Deus hoje?
(2) Devemos ser fiéis no serviço de Cristo.
(3) Deus dá a sua graça em abundância.
(4) O cristão pode depender da ajuda do Senhor em tempos de necessidade.
(5) As crianças frequentemente têm medo do escuro.
(6) O evangelho da graça de Deus
(7) O mistério dos séculos: Cristo em você
(8) Daniel não foi devorado pelos leões por causa de sua fé em Deus.
(9) A Palavra de Deus é nosso guia e nossa fortaleza.
(10) Deus está aperfeiçoando os santos.
(11) Não se preocupe com coisa alguma.
(12) Um cristão alegre é um testemunho aos que o cercam.
(13) Os fariseus disseram que Cristo expelia demônios pelo poder de Satanás.
(14) Se formos generosos em dar, o Senhor nos abençoará com abundância.
(15) Quando servimos ao Senhor, estamos servindo a um amo excelente.
(16) Há um momento em que devemos ficar quietos na presença do Senhor.
(17) Nosso Pai celeste dá especial atenção a seus filhos.
(18) É bom que os cristãos percebam que Deus sempre tem razão no que faz.
(19) O dirigente do Universo toma nota de tudo que acontece neste mundo.
(20) Deus não deve nada a ninguém e recompensará cada um de nós conforme o que fizermos para ele.

4. Leia três sermões de diferentes pregadores e formule uma proposição adequada para cada um deles.

5. Prepare uma tese apropriada para cada um dos seguintes esboços de sermões temáticos apresentados no capítulo 1:

   A esperança do cristão
   Conhecendo a Palavra de Deus
   A capacidade de Deus

6. Formule uma proposição correta para cada um dos seguintes esboços de sermões textuais apresentados no capítulo 2:

   Dando prioridade às coisas importantes
   A alegria da Páscoa
   O único caminho para Deus

7. Escreva uma tese apropriada para cada um dos esboços dos seguintes sermões, apresentados no capítulo 3:

   O bom combate da fé
   De pecadora a santa

8. Diga que erro existe no título e na proposição dos seguintes esboços e mostre como corrigi-los. Acrescente uma oração interrogativa e uma de transição depois de cada proposição, sempre que possível.

(1) Título: Concedendo um pedido

Texto: 1Samuel 1.4-28

Proposição: Esses versículos apresentam cinco lições sobre a oração, aplicáveis a todo cristão

I. Ana preocupava-se por ser estéril (v. 4-10a)
II. Ana orou pedindo um filho (v. 10a,11)
III. Ana foi mal interpretada pelo sacerdote (v. 12-18)
IV. Ana recebeu resposta à oração (v. 19,20)
V. Ana dedicou Samuel ao Senhor (v. 24-28)

(2) Título: Padrões

Texto: Romanos 12.1,2

Proposição: A vida cristã possui padrões elevados, e podemos vivê-la mediante o poder do Espírito de Deus

I. Uma vida dedicada...
   1. ... de sacrifício
   2. ... de serviço
II. Uma vida obediente...
   1. ... de não conformidade com o mundo
   2. ... de conformidade com a vontade de Deus

(3) Título: A vitória de Daniel

Texto: Daniel 1.1-21

Proposição: O exemplo de Daniel, para todo cristão, de vitória sobre o pecado

I. A prova de Daniel (v. 1-7)
II. O propósito de Daniel (v. 8)
III. O triunfo de Daniel (v. 9-21)

(4) Título: Cristo e os privilégios do cristão

Texto: Efésios 1—6

Proposição: Procuraremos obter uma visão sintética da carta aos Efésios, que trata da posição, da jornada e do combate do cristão

I. A posição do cristão (1—3)
II. A jornada do cristão (4.1—6.9)
III. O combate do cristão (6.10-20)

(5) Título: Tenha dó!

Texto: 1Tessalonicenses 3.1-13

Proposição: Tenha um coração como o do apóstolo Paulo

I. Um coração de simpatia (v. 1-4)
II. Um coração de amor (v. 5-9)
III. Um coração de oração (v. 10-13)

8
As divisões

DEFINIÇÃO DE DIVISÕES

Divisões são as seções principais de um sermão ordenado.

Quer sejam enunciadas durante a pregação, quer não, um sermão corretamente planejado é dividido em partes distintas que contribuem para a sua unidade.

Os numerosos exemplos de esboços oferecidos nos capítulos anteriores bastariam para indicar o valor de um bom arranjo da mensagem. Entretanto, é útil apresentar algumas razões específicas para o uso das divisões.

O VALOR DAS DIVISÕES PARA O PREGADOR

1. As divisões promovem a clareza de ideias

Se desejamos elaborar corretamente o sermão, não devemos edificá-lo sobre ideias vagas ou expressões indefinidas. Pelo contrário, a estrutura do pensamento deve ser distinta e precisa, de modo que o significado de cada ponto fique perfeitamente claro aos ouvintes no momento em que se anuncia cada divisão. Além disso, a disciplina de dispor o material da pregação numa estrutura organizada leva o pregador a apresentar suas ideias distintamente e com precisão. A mensagem, quando disposta em ordem correta, também se torna clara na mente do apresentador.

2. As divisões promovem a unidade de pensamento

Queremos enfatizar aqui o que já dissemos: a unidade é essencial à construção da mensagem. O esboço tende a unificar a mensagem, pois, no esforço de classificar seu material, o pregador poderá descobrir se ela possui unidade estrutural. Itens que não têm relação com o assunto são reconhecidos à medida que o mensageiro relaciona cada divisão com a ideia central.

3. As divisões ajudam o pregador a descobrir o tratamento correto do assunto

Enquanto organiza seu material, o pregador poderá ver o assunto como um todo, seus vários aspectos e a relação que as partes têm entre si. Alguns aspectos sobressairão como tendo importância peculiar e, portanto, merecedores de ênfase ou de tratamento especial. Outros podem ser vistos como destituídos de importância e, assim, eliminados. Um exame um pouco mais acurado das várias partes da mensagem indicará ainda a ordem em que elas devem ser apresentadas e conduzirá à progressão de pensamento.

4. As divisões ajudam o pregador a lembrar-se dos pontos principais do sermão

Um erro muito comum ao principiante é voltar-se com frequência para suas notas, em vez de manter o olhar constante e direto no auditório. O pregador que organizou corretamente o sermão evitará essa armadilha. A mensagem terá sido esboçada com tal clareza que ele conseguirá lembrar-se das divisões principais sem nenhuma dificuldade e passará de uma parte a outra olhando apenas de relance suas anotações. Suas ideias fluirão livre e ininterruptamente, porque dias antes de transmitir o sermão ele dispôs cuidadosamente as divisões em uma ordem apropriada e eficaz.

O VALOR DAS DIVISÕES PARA A CONGREGAÇÃO

Um esboço benfeito ajuda não só o ouvinte, mas também o pregador. Para a congregação, há, pelo menos, duas grandes vantagens.

1. As divisões esclarecem os pontos do sermão

É muito mais fácil para o ouvinte acompanhar uma mensagem falada quando as ideias principais estão organizadas corretamente e são proferidas com clareza. À medida que o pregador anuncia as divisões e passa de um ponto principal a outro, o ouvinte consegue identificar a relação das partes entre si e discernir a progressão da mensagem.

2. As divisões ajudam a recordar as aspectos principais do sermão

É comum encontrarmos alguém afirmando, depois do culto, que foi abençoado pelo sermão, mas, se perguntarmos a essa pessoa o que o mensageiro falou, ela terá de admitir que se lembra apenas vagamente do conteúdo do sermão. No entanto, quando uma mensagem é transmitida de modo que os pontos principais sejam facilmente reconhecíveis, o ouvinte perceberá as ideias principais, e cada divisão servirá para ele de "cabide", no qual colocará as verdades que ouviu.

PRINCÍPIOS PARA A PREPARAÇÃO

1. As divisões principais devem originar-se da proposição, e cada divisão deve contribuir para o desenvolvimento dela

Assim como a tese é o âmago do sermão, as divisões principais são o desenvolvimento da proposição. Cada divisão principal deve derivar-se da tese, explicar o conceito contido nela ou, de algum modo, ser essencial ao seu desenvolvimento. Em outras palavras, cada divisão deve ser uma expansão da ideia expressa na tese. Estude os esboços apresentados no capítulo anterior e veja como as divisões principais são tiradas da proposição ou a desenvolvem e expandem.

Com referência ao esboço do salmo 23, no capítulo 7, pode parecer que a proposição não se relaciona adequadamente com as divisões principais até se perceber a analogia entre as ovelhas e o filho de Deus, ambos apresentados na introdução e na oração de transição.

2. As divisões principais devem ser totalmente distintas umas das outras

Embora as divisões principais devam originar-se da proposição ou ser uma elaboração dela, devem diferir totalmente umas das outras. Isso significa que as divisões não devem sobrepor-se. Examine o esboço seguinte.

Título: O ideal do cristão

Texto: 1Coríntios 13.1-13

Proposição: O amor é o ideal com que se mede a vida cristã.

Oração interrogativa: Que podemos aprender deste capítulo acerca do ideal que serve de medida à nossa vida?

Oração de transição: Há três dados principais sobre o amor que se pode aprender de 1Coríntios 13

I. A preeminência do amor (v. 1-3)
II. As características do amor (v. 4-7)
III. A permanência do amor (v. 8-13)

Nesse esboço, as divisões não se sobrepõem, pois são inteiramente distintas umas das outras. Agora, de propósito, alteraremos o esboço, acrescentando-lhe mais uma divisão.

I. A preeminência do amor (v. 1-3)
II. As características do amor (v. 4-7)
III. A continuidade do amor (v. 8-12)
IV. A duração do amor (v. 13)

É óbvio que a terceira e quarta divisões se sobrepõem, porque a duração do amor está incluída na continuidade. Quando comete um erro desse tipo, o pregador se repete, expressando as mesmas ideias, e pensa, erroneamente, que está progredindo no desenvolvimento da mensagem.

3. As divisões principais devem ser dispostas em forma de progressão

A ordem das divisões depende de vários fatores, mas sempre deve haver progressão de pensamento.

O pregador pode seguir o esboço em uma sequência natural ou, se preferir, dispô-lo em uma ordem de espaço e posição geográfica. Pode também desenvolver as divisões em um padrão lógico, em ordem de importância, da causa para o efeito, do efeito para a causa ou em ordem de comparação e contraste, e vice-versa. Quando itens negativos e positivos aparecem como divisões, os negativos devem, em geral, vir antes dos positivos.

No esboço expositivo, é melhor seguir a ordem geral da passagem, mas isso nem sempre é necessário. Leia Lucas 15.25-32 e, a seguir, observe como os pontos principais no esboço "O fariseu ontem e hoje", apresentado no capítulo 7, não seguem a ordem do texto bíblico. Não obstante, são dispostos em um padrão apropriado.

O esboço do sermão pode, também, ser disposto de tal maneira que cada divisão comece com uma das expressões seguintes: "quem", "cujo", "de quem", "o que", "o qual", "como", "por que", "onde", "quando". O esboço seguinte exemplifica esse ponto.

Título: A vida abundante

Texto: Romanos 15.13

Proposição: A vida abundante em Cristo está disponível a todo cristão

Oração interrogativa: Que revela o texto sobre essa vida abundante?

Oração de transição: Romanos 15.13 revela vários aspectos da vida abundante, que está disponível a todo cristão

I. De onde ela vem: "O Deus da esperança os encha [...]"

II. Em que consiste: "[...] de toda a alegria e paz [...]"

III. Como se pode obtê-la: "[...] por sua confiança nele [...]"

IV. Por que se deve possuí-la: "[...] para que vocês transbordem de esperança [...]"
V. Como se pode vivê-la: "[...] pelo poder do Espírito Santo"

O sermão, cujas divisões apresentam uma pergunta, constitui uma variação desse tipo de esboço. Usando o mesmo texto, podemos dispô-lo da seguinte maneira:

Título: A vida abundante

Texto: Romanos 15.13

Proposição: A vida abundante em Cristo está disponível a todo cristão.

Oração interrogativa: A que perguntas o texto responde para o cristão desejoso de desfrutar esse tipo de vida?

Oração de transição: Há cinco perguntas referentes à vida abundante que podem ser respondidas em Romanos 15.13.

I. De onde vem?
II. Em que consiste?
III. Como obtê-la?
IV. Por que possuí-la?
V. Como vivê-la?

O principiante constrói frequentemente esboço desse tipo, mas o leitor notará que não o empregamos em nenhum dos capítulos anteriores. O motivo da omissão é que não desejamos estimular o uso contínuo dessa forma de construção. Embora seja legítimo, o pregador que o utilizar com frequência poderá encontrar dificuldade em manter o interesse da congregação.

4. Quando a proposição consiste em uma afirmação que requer validação ou prova, as divisões principais devem esgotar a posição apresentada ou defendê-la apropriadamente

No sermão em que a proposição requer prova, os ouvintes têm o direito de esperar que o pregador apresente razões adequadas em sua defesa. Provas insuficientes deixam o sermão inacabado, e seu efeito talvez seja insatisfatório. Portanto, todas as divisões necessárias ao desenvolvimento da ideia homilética devem ser incluídas no discurso. Observe o seguinte esboço.

Título: A missão mundial da igreja

Proposição: As bases principais para missões mundiais impõem uma obrigação solene sobre a igreja

Oração interrogativa: Quais as bases escriturísticas principais para missões mundiais?

Oração de transição: Há duas bases bíblicas principais para missões mundiais

I. Todos os homens precisam de um Salvador (Romanos 5.12)

II. Deus providenciou salvação para todos os homens (João 3.16)

Se for omitida a Grande Comissão dada por Cristo aos discípulos, de proclamarem as boas-novas de salvação aos homens, não se terá esgotado a proposição, porque o mandamento de Cristo a seus servos, de pregar o evangelho a toda criatura, certamente é uma das principais bases escriturísticas das missões mundiais. Portanto, a oração de transição será: "Há três bases escriturísticas principais para missões mundiais", acrescentando uma terceira divisão principal:

III. Deus mandou pregar o evangelho a toda criatura (Marcos 16.15).

5. Cada divisão principal deve conter apenas uma ideia básica

Limitando-se cada divisão principal a uma única ideia, é possível tratá-la como uma unidade em si mesma. Assim, essa divisão conterá apenas um conceito básico. Portanto, seria incorreto apresentar, na mesma divisão, o significado e o poder de uma verdade, por serem linhas distintas de pensamento que devem ser tratadas separadamente.

6. As divisões principais devem ser apresentadas claramente, e cada uma delas precisa relacionar-se com a oração interrogativa e com a de transição a fim de expressar uma ideia completa

Cada divisão principal deve ser formulada de tal modo que seu significado seja imediatamente inteligível. Para tanto, o pregador deve certificar-se de que ligou as orações interrogativa e de transição à divisão principal correspondente, pois esta reproduz uma ideia completa.

O esboço preparado e levado à igreja não precisa conter todas as divisões com detalhes ou orações complexas. Pelo contrário, uma afirmação ou frase breve e clara é preferível a uma oração extensa. Às vezes, uma única palavra basta para revelar o conceito que o orador tem em mente. Por exemplo, em um esboço temático sobre títulos descritivos da Palavra de Deus, as divisões principais nas notas do pregador podem ser simplesmente as seguintes:

I. Pão;
II. Lâmpada;
III. Martelo;
IV. Espada.

Entretanto, na hora de transmitir a mensagem, o pregador não deve sacrificar a clareza a favor da brevidade. Ao contrário, deve enunciar cada divisão principal em um enunciado completo, usando, se necessário, orações de transição para atingir esse fim. Assim, ligada ao esboço a que acabamos de referir, o pregador pode apresentar esta primeira divisão principal: "Um dos títulos para a Palavra de Deus que estudaremos hoje é o de Pão". Chegando ao segundo título, ele poderá dizer: "Outro título para a Palavra de Deus, encontrado nas Escrituras, é o de Lâmpada", e assim por diante.

A passagem em Josué 1.1-9 fornece material para o esboço expositivo "Os fundamentos da liderança espiritual". Leia a passagem e, depois, observe o esboço seguinte.

Título: Os fundamentos da liderança espiritual

Proposição: O líder espiritual deve possuir as qualificações apropriadas

Oração interrogativa: Quais são essas qualificações?

Oração de transição: Um estudo de Josué 1.1-9 revela alguns dos elementos essenciais da liderança espiritual

I. Confiança (v. 1,2)

II. Apropriação (v. 3,4)
III. Dependência (v. 5,6,9)
IV. Obediência (v. 7,8)

Um exame atento mostrará que essas divisões não expressam as ideias pretendidas pela passagem bíblica. O texto não sugere que a mera confiança seja uma característica essencial do líder espiritual. Confiança sem qualificação, conforme expressa na primeira divisão, pode significar muitas coisas. Pode referir-se à confiança de Josué na própria sabedoria, em seu exército ou em algo mais.

Observe agora como o esboço seguinte, por estar bem relacionado com a oração de transição, expressa adequadamente as verdades do texto ligadas com os aspectos essenciais do líder espiritual.

I. Confiança no poder de Deus (v. 1,2)
II. Apropriação das promessas de Deus (v. 3,4)
III. Dependência da presença de Deus (v. 5,6,9)
IV. Obediência à Palavra de Deus (v. 7,8)

Quando estiver transmitindo a mensagem, o pregador ligará a ideia contida na oração de transição à afirmativa de cada divisão principal. Por exemplo, apresentando o primeiro ponto principal, ele poderá dizer: "Ao dar início à consideração dessa passagem, que revela certas qualificações do líder espiritual, aprendemos, nos versículos 1 e 2, que um desses elementos essenciais é a confiança no poder de Deus".

7. O número de divisões principais deve ser o menor possível

Já foi sugerido que nenhuma divisão principal, necessária ao desenvolvimento completo da proposição, deve ser omitida. No entanto, o pregador precisa ter o cuidado de não introduzir seções desnecessárias no sermão. Como regra geral, deve-se limitar as divisões ao menor número possível. É óbvio, entretanto, que não pode haver menos de duas divisões, pois toda divisão resulta, no mínimo, em duas partes.

O número de divisões do esboço depende do assunto a ser tratado e do conteúdo da passagem. Alguns assuntos requerem várias divisões, enquanto outros podem ser apresentados adequadamente em uma única divisão, ou em duas ou três. Convém que o esboço se limite ao máximo de sete divisões principais. Em geral, três, quatro ou cinco bastarão para se desenvolver a proposição. Até mesmo um sermão expositivo, baseado em uma passagem bíblica mais extensa, pode ser elaborado com duas, três ou quatro divisões principais, dependendo do conteúdo da passagem.

8. O plano do sermão deve variar de semana a semana

Embora muitos sermões possuam apenas três pontos principais, não se deve empregar o mesmo plano seguidamente. Pelo contrário, deve-se variar o número de divisões de acordo com o conteúdo do texto ou do assunto tratado.

Também é aconselhável variar a maneira de introduzir as divisões durante a apresentação da mensagem. Um método comum de chamar a atenção para a mudança de uma divisão para outra é fazer referência à forma numérica das divisões. Entretanto, em vez de usar as expressões numéricas "primeiro", "segundo", "terceiro", e assim por diante, sempre que as divisões são apresentadas, pode-se introduzi-las com expressões como "para começar", "repito", "além do mais", "uma vez mais" e "finalmente". Outras locuções similares surgirão com facilidade na mente do pregador enquanto faz a transição da proposição para a primeira divisão principal e de uma divisão principal para outra.

Nem sempre é necessário enunciar a ordem numérica das divisões principais. Em vez disso, pode-se referir à proposição cada vez que se apresenta um novo ponto. Outras vezes, a recapitulação das divisões principais anteriores, antes de introduzir a seguinte, pode distingui-las na mente das pessoas.

Também há certas condições ou circunstâncias nas quais convém dispensar a declaração formal das divisões principais. Não há regra inflexível para isso. Às vezes, o plano geral do sermão é tão óbvio que a demonstração da estrutura do esboço daria à mensagem um efeito mecânico ou forçado. Em uma mensagem mais informal, no sermão fúnebre ou em uma ocasião em que as emoções são profundas, não se deve dar a impressão de estar proferindo um discurso formal. Em tais circunstâncias, é aconselhável omitir a enunciação das divisões.

9. As divisões principais devem possuir estrutura paralela

Estrutura paralela é a disposição de um esboço em forma simétrica, de modo que as divisões se equilibrem adequadamente e se combinem. Por meio da estrutura paralela — ou paralelismo sintático —, os pontos principais seguem um padrão uniforme. Por exemplo, se a primeira divisão é apresentada em forma de frase, as demais divisões também devem consistir em frases. Se, porém, for uma pergunta, as outras também devem ser perguntas.

Essa uniformidade deve ser aplicada também a palavras que ocupem posição de destaque. Por exemplo, quando a primeira divisão começa com uma categoria gramatical, as demais divisões também, em regra geral, devem começar do mesmo modo. Na forma paralela, os substantivos devem correlacionar-se com substantivos, as preposições com preposições e os verbos com verbos. Assim, se a primeira divisão começar com uma preposição, cada divisão seguinte deve começar com uma preposição.

Há duas exceções a essa regra. Primeiro, pode-se ou não usar uniformemente o artigo definido ou indefinido. Segundo, a proposição pode desviar-se um pouco da estrutura paralela. O esboço seguinte exemplifica tais exceções.

Título: Quando Deus justifica o pecador

Texto: Romanos 5.1-11

Proposição: A justificação produz resultados abençoados nos que creem

Oração interrogativa: Que resultados?

Oração de transição: Esses versículos revelam vários resultados da justificação naqueles que crêem

I. Paz com Deus (v. 1)
II. Acesso a Deus (v. 2)
III. Alegria em Deus (v. 2)
IV. Triunfo em Cristo (v. 3,4)
V. O testemunho do Espírito Santo (v. 5)
VI. Segurança perfeita (v. 6-11)

Embora não estejam em estrutura paralela com o restante do esboço, as duas últimas divisões estão em harmonia com as outras divisões porque também resultam da obra de Deus em declarar os homens justos, visto que a proposição pede um exame dos resultados da justificação.

Alguns, no esforço de atingir a simetria do esboço, vão a extremos. Mediante a aliteração, às vezes, usam palavras com a mesma letra inicial em todas as divisões, embora algumas dessas palavras possam contribuir para uma interpretação errônea do texto sagrado. Observe o seguinte esboço do salmo 23, que usa o recurso da aliteração.

Título: Os sete "p" do salmo 23

I. Possessão: "O Senhor é o meu pastor"
II. Preparação: "Em verdes pastagens me faz repousar"
III. Progresso: "Guia-me nas veredas da justiça por amor do seu nome"
IV. Presença: "Pois tu estás comigo"
V. Provisão: "Preparas um banquete para mim à vista dos meus inimigos"
VI. Privilégio: "Tu me honras, ungindo a minha cabeça com óleo"
VII. Prospectiva: "Voltarei à casa do Senhor enquanto eu viver"

Um exame cuidadoso do salmo 23 torna claro que as palavras usadas para a segunda e terceira divisões principais não estão de acordo com o pensamento do autor sagrado. A ideia do texto da segunda divisão principal não é a de preparação, mas de descanso, e a da terceira não é a de progresso, mas de direção. A aliteração é uma excelente ajuda para a memória e pode ser útil na estrutura do sermão, mas, caso force o significado do texto, deve ser evitada.

TRANSIÇÕES

Assim como a oração de transição é necessária para estabelecer uma conexão suave entre a proposição e o corpo do sermão, também é preciso que a transição de uma divisão principal a outra seja cuidadosamente construída. O ouvinte, em geral, não tem diante de si o esboço do sermão para ajudá-lo a entender a mensagem. Seu único meio de acompanhar a sequência de pensamento do sermão são as palavras do pregador. As transições ajudam esse processo.

Às vezes, o ouvinte perde facilmente o fio da meada, particularmente na passagem de uma seção principal para outra. No ponto de transição, a mente do ouvinte médio perde o passo. A transição oferece ao auditório uma pista de que o pastor está pronto para tratar da próxima fase de sua mensagem. Uma transição eficaz deve, portanto, tornar claro cada passo no desenrolar do sermão. Deve, também, preparar a mente do ouvinte e despertar-lhe o interesse para o que será dito a seguir.

A transição deve permitir a passagem suave e fácil de ideias de uma parte para outra do sermão. Mudanças abruptas de pensamento tendem a distrair e confundir, enquanto uma boa transição suaviza o caminho para a comunicação de sucessivas unidades de pensamento.

Assim, uma transição eficaz poderá: relacionar a divisão com a proposição ou com a oração de transição principal; revisar uma ou mais divisões principais; despertar interesse na unidade de pensamento seguinte; referir-se à divisão principal anterior e indicar a mudança da unidade anterior de pensamento para a seguinte; unir a última divisão principal à conclusão.

Um dos meios mais úteis de fazer transições é a palavra-chave contida na oração de transição principal (v. cap. 7). A oração de transição principal, quando corretamente apresentada, sempre contém uma palavra-chave aplicável a cada divisão principal. Portanto, sempre que chegar à divisão principal, o pregador deve estar em condições de referir-se à oração de transição principal com sua palavra-chave. Assim, no esboço de sermão sobre Romanos 5.1-11, apresentado anteriormente, na oração de transição — "Esses versículos revelam vários resultados da justificação naqueles que creem" —, a palavra-chave "resultados" é aplicada a cada uma das divisões principais, à medida que passa de um efeito da justificação para o outro.

Às vezes, a transição requer um breve parágrafo, mas em circunstâncias normais pode ser expressa por uma frase ou duas, ou até mesmo por uma única frase.

O esboço seguinte fornece um exemplo do uso de transições.

Título: O melhor amigo

Texto: João 11.1-6,19-44

Introdução:

1. Aonde quer que formos, encontraremos gente solitária — em busca de um amigo real e verdadeiro
2. Provérbios 18.24 fala de um "amigo mais apegado que um irmão"

Proposição: Jesus é o melhor amigo que podemos ter

Oração interrogativa: Que características Jesus possui que o qualificam como nosso melhor amigo?

Oração de transição: A passagem que temos diante de nós revela três características de Jesus que o qualificam como o nosso melhor amigo

I. Jesus é um amigo amoroso... (v. 3-5)
   1. ... que ama cada um de nós individualmente (v. 3,5)
   2. ... que, não obstante, permite que nos sobrevenham aflições (v. 3)

Discussão

Transição: Que maravilha é ter um amigo como Jesus; mas ele é muito mais que amigo apenas

II. Jesus é um amigo compreensivo... (v. 21-36)
   1. ... que compreende nossos pesares mais profundos (v. 21-26,32)

Discussão

   2. ... que tem compaixão de nossos pesares mais profundos (v. 33-36)

Discussão

Transição: Jesus é, de fato, um amigo amoroso e compreensivo, mas faltaria uma coisa muitíssimo importante se fossem só essas as suas características como amigo. Nossa maior nacessidade é de um amigo que não seja apenas amoroso e compreensivo. Como descobriremos nos versículos 37 a 44

III. Jesus é um amigo poderoso... (v. 37-44)

1. ... que pode fazer coisas miraculosas (v. 37)

Discussão

2. ... que realiza milagres quando preenchemos suas condições (v. 38-44)

Discussão

Transição: Vimos que Jesus verdadeiramente possui as qualificações para ser o nosso melhor amigo; mas agora se nos apresenta uma pergunta muito importante: "É ele nosso amigo?"

Conclusão

Os esboços adicionais do final dos capítulos 9 e 11 apresentam outros exemplos de transições.

PRINCÍPIOS PARA A PREPARAÇÃO DAS SUBDIVISÕES

A elaboração das subdivisões segue os mesmos princípios das divisões principais. Há, contudo, algumas diferenças na aplicação deles. É necessário, portanto, dar atenção especial a alguns princípios distintivos para a formulação das subdivisões.

1. As subdivisões derivam de suas respectivas divisões principais e são o desenvolvimento lógico delas

A função primeira da subdivisão é desenvolver o pensamento contido na divisão principal. Portanto, ela só pode alcançar seu objetivo quando as ideias expressas se relacionam diretamente com as da divisão principal e são derivadas desta. Deve estar claro que as subdivisões não se coordenam com as divisões principais, mas se subordinam a elas.

Em certo sentido, a divisão principal é um tema, e cada subdivisão, uma divisão dele. Dessa maneira, todas as subdivisões tratam da ideia contida na divisão principal. Como exemplo, repetimos o esboço do salmo 23, visto no capítulo 7.

Título: O salmo do contentamento

Texto: Salmos 23

Introdução:

1. Pastor de ovelhas em Idaho, com um rebanho de 1.200 ovelhas — incapaz de dar-lhes atenção individual
2. Contraste com o pastor desse salmo — como se tivesse apenas uma ovelha para cuidar
3. Todo filho de Deus se identifica com a ovelha apresentada nesse salmo

Proposição: O contentamento é a prerrogativa feliz de todo filho de Deus

Oração interrogativa: Em que se baseia esse contentamento?

Oração de transição: O filho de Deus aprende com esse salmo que, como ovelha do Senhor, seu contentamento se baseia em três fatos relacionados com as ovelhas

I. O pastor das ovelhas (v. 1)
   1. Um pastor divino (v. 1)
   2. Um pastor pessoal (v. 1)

II. A provisão das ovelhas (v. 2-5)
   1. Descanso (v. 2)
   2. Direção (v. 3)
   3. Conforto (v. 4)
   4. Fartura (v. 5)

III. O futuro das ovelhas (v. 5)
   1. Um futuro brilhante nesta vida (v. 6)
   2. Um futuro abençoado no porvir (v. 6)

Observe como cada subdivisão da primeira divisão principal, ao falar do "pastor das ovelhas", descreve um aspecto do pastor. Agora, acrescentemos uma terceira subdivisão à primeira divisão:

1. Um pastor divino (v. 1);
2. Um pastor pessoal (v. 1);
3. Uma grande segurança (v. 1).

É evidente que a terceira subdivisão não deriva da ideia contida na primeira divisão principal e, portanto, não deve vir nessa posição. Examine as subdivisões da segunda divisão principal. Cada uma das quatro subdivisões trata de um aspecto da provisão das ovelhas. Da mesma forma, as subdivisões da terceira divisão principal relacionam-se diretamente com ela.

Outro tratamento analítico do salmo 23 divide-o em duas partes principais, como seguem:

I. O pastor em relação a suas ovelhas (v. 1-4);
II. O anfitrião em relação ao hóspede (v. 5,6).

Com isso em mente, apresentamos o seguinte esboço.

Proposição: O cristão tem toda a razão de estar contente

Oração interrogativa: Por que tem ele toda a razão de estar contente?

Oração de transição: O salmo 23 indica dois motivos pelos quais o cristão tem toda a razão de estar contente

I. Por causa do tipo de pastor que cuida dele... (v. 1-4)
   1. ... um grande pastor (v. 1)
   2. ... um pastor pessoal (v. 1-4)
   3. ... um pastor fiel (v. 2-4)
II. Por causa do tipo de anfitrião que o recebe... (v. 5,6)
   1. ... um anfitrião poderoso (v. 5)
   2. ... um anfitrião magnânimo (v. 5)
   3. ... um anfitrião fiel (v. 6)

O esboço seguinte mostra como as subdivisões do sermão textual derivam de suas respectivas divisões principais.

Título: Provado para merecer confiança

Texto: Gênesis 39.20,21

Proposição: O Senhor, de vez em quando, permite que o cristão passe por uma dura experiência, a qual, naquele momento, lhe é difícil compreender.

Oração interrogativa: Como o cristão pode ver tal experiência?

Oração de transição: O cristão, como no caso de José, pode considerar tal experiência de dois pontos de vista:

I. Do ponto de vista humano... (v. 20)
   1. ... pareceria um infortúnio trágico
   2. ... pareceria totalmente sem esperança

II. Do ponto de vista divino... (v. 21)
   1. ... pode ser vista como uma experiência da presença de Deus
   2. ... pode ser vista como uma experiência da bondade de Deus
   3. ... pode ser vista como uma experiência do poder de Deus

Richard S. Beal, de Tucson, Arizona, certa vez proferiu um sermão textual baseado em João 19.17,18, para o qual usou as seguintes divisões principais:

Título: O lugar chamado Calvário

I. Era o lugar de crucificação;

II. Era o lugar de separação;

III. Era o lugar de exaltação.

Expandimos esse esboço inserindo subdivisões em cada divisão principal:

I. Era o lugar de crucificação...
   1. ... onde Jesus foi crucificado por nós (1Pedro 2.24)
   2. ... onde Jesus levou a maldição por nós (Gálatas 3.13)

II. Era o lugar da separação...
   1. ... onde Jesus foi abandonado pelo Pai (Mateus 27.46; Marcos 15.34)
   2. ... onde o pecador arrependido separou-se de seu pecado (Lucas 23.40-43)
   3. ... onde o pecador arrependido separou-se do pecador não arrependido, tendo a cruz de Cristo entre eles (Lucas 23.39-43)

III. Era o lugar de exaltação...

1. ... onde Jesus recebeu lugar central (João 19.18)
2. ... onde o Senhor foi exaltado como Salvador dos homens (João 12.32,33; 19.19; 1Pedro 3.18)

Deve-se preparar subdivisões não somente para esboços textuais e expositivos, mas também para os sermões temáticos. Observe como no esboço seguinte as subdivisões derivam de sua respectiva divisão principal.

Título: Podemos saber a vontade de Deus para nós?

Proposição: É possível que os cristãos conheçam a vontade de Deus para sua vida

Oração interrogativa: Como podemos conhecer a vontade de Deus para nós?

Oração de transição: Há, pelo menos, três princípios gerais pelos quais podemos conhecer a vontade de Deus em relação à nossa vida

I. Descobrimos a vontade de Deus para nossa vida mediante a Palavra de Deus...
   1. ... a qual devemos ler (2Timóteo 3.16,17; Salmos 19.7,8; 119.9,11,104,105,130)
   2. ... à qual devemos obedecer (Josué 1.8; Romanos 12.1,2; Colossenses 1.9,10)
II. Aprendemos a vontade de Deus para nossa vida mediante a convicção interior do Espírito Santo...
   1. ... que imprime em nosso coração aquilo que Deus deseja que façamos (Romanos 8.14; Gálatas 5.16-18,25)
   2. ... que jamais nos exorta a fazer o que é contrário às Escrituras (João 16.13,14; 17.17; Gálatas 5.16,17)
   3. ... que jamais nos leva a fazer o que é contrário ao simples dever (Romanos 14.17,18; Efésios 5.9-18)
III. Determinamos a vontade de Deus para nossa vida mediante as circunstâncias...
   1. ... que podem corroborar um dos princípios anteriores ou ambos (Atos 10.17-22; 11.4-15; 16.6-10)

2. ... que podem abrir ou fechar uma porta de acordo com o propósito do Senhor para nós (Apocalipse 3.7,8; Filipenses 1.22-26)

2. As subdivisões devem ter estrutura paralela

Como as divisões principais, as subdivisões devem ser simétricas e equilibradas. Deve-se seguir o padrão determinado pela subdivisão inicial da primeira divisão principal em todas as outras subdivisões. Assim, no esboço a seguir, baseado em Marcos 16.1-4, passagem examinada no capítulo anterior, a subdivisão inicial da primeira divisão principal começa com uma preposição, e todas as outras subdivisões seguem o mesmo padrão.

Título: Problemas grandes demais para nós

Texto: Marcos 16.1-4

Proposição: O povo do Senhor às vezes enfrenta problemas grandes demais

Oração interrogativa: O que ensinam esses versículos a respeito desses problemas que às vezes enfrentamos?

Oração de transição: Dessa passagem, podemos tirar duas lições

I. Problemas intransponíveis podem-se apresentar até mesmo às pessoas mais devotadas ao Senhor... (v. 1-3)
   1. ... em suas tentativas de realizar um serviço de amor
   2. ... em suas tentativas de realizar um serviço sacrificial
   3. ... em suas tentativas de realizar um serviço unido

II. Problemas intransponíveis às vezes são facilmente resolvidos... (v. 4)
   1. ... em uma época que o povo do Senhor pode não prever
   2. ... de uma maneira que talvez as pessoas não esperem

Examine outros esboços desse capítulo que contenham subdivisões e observe a simetria destas em cada um deles.

3. O número de subdivisões deve ser limitado

O número de subdivisões da divisão principal depende do tema ou do conteúdo do texto. Por exemplo, o esboço do salmo 23 não seria completo se omitíssemos uma das subdivisões da segunda divisão principal. Também, como regra geral, não deve haver mais de três ou quatro subdivisões para cada divisão principal. Circunstâncias excepcionais podem permitir mais subdivisões, mas nesses casos é aconselhável limitar o número de subdivisões das outras divisões principais, para que o esboço não fique congestionado com demasiados pontos subordinados.

Em geral, é desnecessário dividir as subdivisões, mas alguns assuntos requerem uma análise mais minuciosa. Em tais casos, pode ser necessário criar subdivisões das subdivisões.

Leia o salmo 1 e observe o exemplo a seguir.

Título: Em que direção você está indo?

Proposição: Os homens têm apenas duas alternativas na escolha do caminho a seguir

Oração interrogativa: Quais são essas alternativas?

Oração de transição: O salmo 1 descreve-as como os dois caminhos da vida

I. O caminho dos santos... (v. 1-3)
   1. ... é marcado pela separação do mal (v. 1)
   2. ... é marcado pela devoção à Palavra de Deus (v. 2)
   3. ... é marcado pela bênção de Deus... (v. 3)
   (1) ... estabilidade
   (2) ... frutificação
   (3) ... vitalidade
   (4) ... êxito

II. O caminho dos ímpios... (v. 4-6)
   1. ... opõe-se em caráter ao dos justos (v. 4)
   2. ... termina de maneira oposta ao dos justos (v. 5,6)

Embora apareçam no esboço, as subdivisões não devem ser enunciadas no decurso do sermão. A menção às subdivisões levaria os ouvintes a confundir as subdivisões com as divisões principais. As subdivisões devem servir de guia para o pregador no desenvolvimento da mensagem, mas ele não deve referir-se a elas durante o sermão, salvo se houver motivos especiais para tanto.

4. À semelhança das divisões principais, as subdivisões não precisam seguir a mesma ordem do texto

Na preparação das divisões principais e das subdivisões do sermão expositivo, é aconselhável acompanhar a ordem do texto. Entretanto, por causa da progressão lógica, há ocasiões em que é preferível usar uma ordem diferente. Leia Êxodo 16.4-36 e depois observe o esboço seguinte:

Título: Pão do céu

Introdução:

1. Os israelitas na peregrinação do Egito para Canaã; os cristãos na peregrinação da terra para o céu
2. A provisão de Deus para os israelitas em peregrinação — o maná; o alimento espiritual para o povo de Deus hoje — a Palavra de Deus
3. Há, pelo menos, três aspectos em que o maná representa o alimento espiritual, do qual o povo de Deus deve alimentar-se

I. Em sua provisão... (v. 4,15)
   1. ... do Senhor (v. 4)
   2. ... para o povo de Deus (v. 4,15)

II. Na maneira como devia ser colhido... (v. 4-21)
   1. ... de acordo com a necessidade de cada pessoa (v. 16-18)
   2. ... bem cedo, de manhã (v. 4,21)

III. Em seu propósito... (v. 4,19-36)
   1. ... sustentar o povo de Deus em sua peregrinação (v. 32-35)
   2. ... provar a obediência do povo de Deus (v. 4,19,20,23-29)

A admirável semelhança entre o maná e a Palavra de Deus deve ensinar-nos uma verdade importante.

Proposição: Devemos alimentar-nos regularmente da Palavra de Deus em nossa peregrinação para o céu.

As divisões do esboço estão dispostas em ordem lógica, e não na ordem do texto.

EXERCÍCIOS

1. Ressalte os erros que encontrar nos seguintes esboços temáticos e corrija-os.

(1) Título: Esperar no Senhor

Proposição: É bom esperar no Senhor

Oração interrogativa: Por que é bom esperar no Senhor?

Oração de transição: Consideremos três aspectos essenciais do esperar no Senhor

I. O Senhor ouve o clamor do cristão (Salmos 40.1)
   1. Deus deseja que os homens o busquem (Lamentações 3.25)
   2. Meu desejo ardente de Deus (Salmos 42.1)

II. Deus renova as forças do cristão (Isaías 40.31)
   1. Dia a dia (2Coríntios 4.16)
   2. Mediante o conhecimento (Colossenses 3.10)

III. Há promessa de direção para o caminhar do cristão (Salmos 32.8)
   1. Quando nos submetemos a Deus (Salmos 25.4,5)
   2. Justos na sua presença (Provérbios 21.29)
   3. Ao procurarmos a vontade de Deus (Provérbios 3.5,6)
   4. Quando perturbados (Romanos 12.1,2)
   5. Se formos mansos (Salmos 25.9)

(2) Título: A abundância de Deus

Proposição: Deus é o Deus da abundância

Oração interrogativa: Como podemos aprender acerca da abundância de Deus?

Oração de transição: Observando as palavras "abundância" e "abundante" na Bíblia, em relação com Deus, podemos aprender tudo sobre a abundância divina

I. Ele tem abundância de misericórdia (1Pedro 1.3)
   1. O significado da misericórdia
   2. Para todos os que creem

II. Ele tem abundância de graça (Romanos 5.17)
   1. Isso significa que a graça é dada livremente, porque todas as exigências da santidade já foram satisfeitas
   2. Em Cristo

III. Ele tem abundância de conforto (2Coríntios 1.3-5)
   1. Quando precisamos dele
   2. Para capacitar-nos a confortar outros

IV. A abundância do poder de Deus (Efésios 3.20)
1. Excessivamente abundante
2. Segundo o poder que age em nós

2. Diga o que está errado nos seguintes esboços textuais e mostre como corrigi-los.

(1) Título: A paz de Deus por causa da paz com Deus
Texto: Filipenses 4.6,7
Proposição: A oração fervorosa e a paz de Deus andam juntas
Oração interrogativa: Como podemos obter a paz de Deus?
Oração de transição: Esses versículos mostram o modo de obtermos a paz com Deus
I. O mandamento: "Não andem ansiosos por coisa alguma" (v. 6)
1. Porque Deus é capaz de cuidar de nossas necessidades
2. Não importa quão grande ou pequeno seja o problema
II. A condição: "Mas em tudo, pela oração e súplicas, com ação de graças, apresentem seus pedidos a Deus" (v. 6)
1. Oração fervorosa
2. Ações de graças contínuas
III. O efeito: "E a paz de Deus [...] em Cristo Jesus" (v. 7)
1. A paz de Deus
2. Em Cristo

(2) Título: A mão de Deus sobre os israelitas
Texto: "Ele os guiou em segurança" (Salmos 78.53a)
Proposição: A mão de Deus sobre o povo que ele tirou do Egito
Oração interrogativa: Que evidências revela esse texto a respeito da mão de Deus sobre seu povo?
Oração de transição: Em Salmos 78.53, descobrimos uma evidência tríplice da mão de Deus sobre seu povo.
I. Direção: "Ele os guiou"
1. Direção pessoal
2. Direção segura
II. Progressão: "Ele os guiou em"
1. Não de volta

2. Para a frente
III. Seguramente: "Ele os guiou em segurança"
1. Com uma coluna de nuvem de dia
2. Com uma coluna de fogo de noite

3. Indique os erros dos seguintes esboços expositivos e corrija-os:

(1) Título: Cristianismo com propósito
Texto: 1Coríntios 9.24-27
Introdução:
1. Feira Mundial em Nova York, de 1964, um edifício com os dizeres: "O triunfo do homem"
2. O que constitui triunfo ou sucesso na vida cristã?
Proposição: É possível encontrar o alvo da vida cristã e as diretrizes tantas vezes perdidas
Oração interrogativa: Como podemos encontrar essas coisas?
Oração de transição: Um exame do texto nos ajudará a descobrir a resposta
I. Esforçamo-nos por causa do prêmio (v. 24)
1. Nem todos vencerão
2. Todos devem tentar
II. Esforçamo-nos por causa da coroa (v. 25)
1. Sendo moderados
2. Buscando o incorruptível
III. Esforçamo-nos por causa da certeza (v. 20-27)
1. Tendo o objetivo em mente
2. Tendo o corpo submetido

(2) Título: Os resultados da fé
Texto: Hebreus 11.1-8
Introdução:
1. Hebreus 11 é a galeria de honra de Deus referente à fé — uma lista dos heróis da fé
2. Nosso texto refere-se a quatro heróis da fé.
Proposição: Deus honra a fé

Oração interrogativa: Como Deus honra a fé?

Oração de transição: Nesse texto, o apóstolo Paulo apresenta três resultados da fé

I. Pela fé, entendemos (v. 1-3)
   1. Coisas que o olho natural jamais viu (v. 1)
   2. Como os mundos foram feitos pela Palavra de Deus (v. 3)

II. Pela fé, agradamos a Deus (v. 4-6)
   1. Como Abel obteve testemunho de ser justo pelo sacrifício da fé (v. 4)
   2. Como Enoque foi trasladado pelo caminhar da fé (v. 5)

III. Pela fé, obedecemos a Deus (v. 7,8)
   1. Como Noé salvou sua casa pela obra da fé (v. 7)
   2. Como Abraão recebeu uma herança pela espera da fé (v. 8)

(3) Título: Conhecer o amor de Cristo

Texto: Efésios 3.14-21

Introdução:

1. A coisa mais importante na vida do cristão é o amor
2. A oração de Paulo pelos cristãos de Éfeso era para que chegassem a conhecer o amor de Cristo

Proposição: Todo cristão deve conhecer o amor de Cristo e como desfrutá-lo

Oração interrogativa: Por que os cristãos devem conhecer o amor de Cristo?

Oração de transição: Há três razões pelas quais o cristão deve conhecer o amor de Cristo

I. Para receber poder espiritual (v. 14-17)
   1. Para uma confiança completa (v. 17)
   2. Para uma fé viva (v. 17)

II. A fim de experimentar a magnitude do amor de Cristo (v. 18,19)
   1. Pessoalmente (v. 18)
   2. Positivamente (v. 19)

III. Para encher-se da plenitude de Deus (v. 20,21)
   1. Poder infinito em nós (v. 20)

2. Salvação mediante Cristo (v. 21)

4. Prepare um esboço temático para o culto do domingo de Páscoa, dando título, introdução, proposição, oração interrogativa, oração de transição, divisões principais, transições e subdivisões
5. Construa um esboço textual sobre Isaías 41.10, com os aspectos pedidos no exercício 4
6. Prepare um esboço expositivo sobre Atos 12.1-19, com os mesmos requisitos do exercício 4

9
A discussão

DEFINIÇÃO DE DISCUSSÃO

Discussão é o desdobramento das ideias contidas nas divisões.

As divisões principais e as subdivisões são apenas o esqueleto do sermão e servem para indicar as linhas de pensamento a serem seguidas na sua apresentação.

Nesta fase do desenvolvimento do sermão, o pregador precisa utilizar todo o conhecimento e criatividade de que possa dispor. De alguma forma, ele deve expandir ou ampliar o esboço a fim de obter uma mensagem equilibrada e eficaz, que cumpra seu objetivo. Para tanto, ele deve dispor o material selecionado a fim de desenvolver adequadamente cada uma das divisões.

QUALIDADES DA DISCUSSÃO

1. A discussão deve ter unidade

Afirmamos no capítulo anterior que o tópico de cada divisão principal é uma unidade em si mesmo. As subdivisões de cada divisão principal devem derivar do tema da divisão e desenvolvê-lo. Tudo que for apresentado nas subdivisões deve ser uma ampliação da ideia expressa na divisão principal. Segue-se que não deve haver digressão nem introdução de aspectos alheios ao caso. Ao contrário, a progressão deve ser contínua, visando a discussão apropriada da ideia única da divisão. Às vezes, entretanto, pode ser necessário material não aplicável a uma divisão para completar a discussão em outra.

2. A discussão deve ter proporção

A experiência ajudará o pregador a reconhecer quais partes do sermão necessitam de mais ênfase ou de tratamento mais completo. Algumas divisões, pelo seu conteúdo, podem exigir mais atenção, enquanto outras não terão tanta importância para o propósito do discurso. A profundidade do texto, o valor de determinada verdade ou a dificuldade em uma parte do sermão podem também levar o pregador a julgar conveniente ampliar uma divisão.

É aconselhável o pregador lembrar-se de que cada divisão deve contribuir para toda a apresentação e, como regra geral, as divisões principais devem ser sabiamente equilibradas, a fim de apresentar um sermão bem-acabado.

3. A discussão deve apresentar progressão

As ideias de cada divisão devem indicar um movimento definido de pensamento. Cada frase deve acrescentar algo à discussão. A disposição jamais deve ser forçada, e cada ideia deve ser uma extensão da que a precede, de modo que forme uma cadeia até que o tema da divisão tenha sido amplamente desenvolvido ou analisado. Explanação, ilustração, aplicação, argumento ou citação, cada uma deve contribuir para um avanço ordenado do pensamento. A progressão, assim, produzirá um impacto cumulativo e ajudará a criar interesse na mensagem.

4. A discussão deve ser breve

Uma das falhas mais comuns do pregador é a verborragia. O que pode ser dito em 25 ou 30 minutos muitas vezes leva 40 ou 45.

O perigo é cansar a congregação. O povo pode parecer reverente e respeitoso, mas é pouco provável que continue atento e interessado como na primeira parte do sermão.

Como já sugerimos, cada divisão deve desenvolver-se de maneira que dê ao assunto a força ou expressão devida. Mas, se o pregador deseja evitar a armadilha do sermão extenso, deve aprender a falar concisamente. Toda palavra proferida deve ser importante. Toda ideia deve ser adequada. Com frequência, pode ser necessário ou aconselhável introduzir uma ilustração, oferecer uma explicação ou acrescentar outro material qualquer à discussão, a fim de elucidar um ponto. Entretanto, o que o orador usar para o desenvolvimento de uma divisão deve relacionar-se diretamente com a ideia daquela divisão e ser transmitido o mais brevemente possível.

Talvez demande do pregador considerável disciplina adquirir a habilidade de condensar os sermões, mas o esforço será mais que compensador para ele e a congregação. Tal pregador não gastará tempo no púlpito com trivialidades, repetições ou explicações desnecessárias. Evitará também o hábito de recorrer a ilustrações supérfluas ou contar histórias com tal frequência que seu sermão não passe de uma série de contos ligados entre si por uma citação bíblica.

5. A discussão deve ser clara

O propósito principal da discussão é desvendar ou revelar mais claramente as ideias das divisões. Se o sermão for bíblico, as divisões naturalmente tratarão de algum aspecto ou de alguma verdade bíblica. Portanto, é de importância crucial que o material da discussão ilumine as verdades sugeridas em cada divisão. Devem-se utilizar todos os meios para atingir esse fim, levando-se em conta a unidade e a concisão.

Um erro comum do principiante é usar linguagem demasiadamente elevada. Esquecendo-se de que muitas pessoas na congregação não possuem educação formal esmerada, o pregador corre o risco de dirigir-se ao povo como se estivesse falando a alunos de pós-graduação de uma universidade ou de um seminário. O linguajar filosófico ou teológico pode ser necessário nas universidades, mas no púlpito é de extrema importância que o pregador torne as passagens bíblicas inteligíveis e claras. Às vezes, é oportuno usar termos como "existencialismo", "antinomianismo" , "soteriologia" e "justificação", mas devem ser definidos em linguagem comum, do cotidiano. O próprio Jesus, embora tenha falado sobre temas muito profundos, apresentava a verdade com tanta singeleza que o povo simples o ouvia com prazer.

6. A discussão deve ter vitalidade

O sermão pode estar estruturalmente correto, a discussão, ortodoxa e bíblica, e ainda assim a mensagem falhar por completo no objetivo de conquistar os ouvintes. Isso pode acontecer quando a discussão consiste em fatos áridos e desinteressantes ou de exegese sólida, mas alheia ao interesse do público e sem aplicação prática; ou quando não relaciona fatos e ideias familiares a verdades antigas.

A discussão, para despertar o interesse dos ouvintes, precisa conter elementos que tornem a verdade válida para eles. As palavras da Bíblia devem ser apresentadas como adequadas às situações da vida diária. As personagens bíblicas devem ser apresentadas de forma que os ouvintes percebam nelas as próprias experiências, circunstâncias, tentações e fracassos. Passagens proféticas da Bíblia devem ser relacionadas aos problemas nacionais e também pessoais. As seções didáticas e exortativas, da mesma forma, devem aplicar-se diretamente aos fatos atuais. Relacionando, assim, as Escrituras às condições em que os homens e as mulheres se encontram, é de esperar que nossa mensagem tenha significação vital para eles.

7. A discussão deve exibir variedade

O pregador que procura infundir em seus sermões frescor e vigor perenes também deve cuidar para que a discussão contenha variedade. Ele não deve retirar todas as citações de um único autor nem todas as ilustrações da vida dos filhos. Ao contrário, deve esforçar-se por colher materiais de todas as fontes disponíveis, novas e antigas, aplicando-as eficazmente às situações que o exijam.

Embora tenha a variedade como alvo, o pregador deve, ao mesmo tempo, certificar-se de que o material utilizado tem interesse humano. Histórias, fatos ou circunstâncias que se relacionem com a situação dos ouvintes ou que apelem para as emoções e provoquem empatia certamente prendem a atenção. Mas o pregador não deve contar histórias tristes apenas para fazer o povo chorar. Pelo contrário, é preciso que haja um toque vital no coração das pessoas.

Precisamos dizer algo a respeito do humor. Fazer o povo rir apenas pelo riso não se coaduna com a tarefa sagrada do pregador. Todavia, há lugar para o humor santo no sermão. O pregador às vezes leva os ouvintes a se tornarem tensos de emoção ou de interesse. A introdução de um dito engraçado, provocando o riso, muitas vezes quebra a tensão e prepara o povo para ouvir com maior interesse.

FONTES DE MATERIAL PARA A DISCUSSÃO

O pregador recolhe o material para a discussão de cinco fontes principais.

1. A Bíblia

A Palavra de Deus é fonte inesgotável de material para o desenvolvimento das ideias contidas em cada divisão da mensagem. É da Bíblia que extraímos nosso principal material exegético.

É da maior importância, pois, observar o que o texto realmente diz. Mediante o uso de interrogativas como "quem?", "o quê?", "onde?", "quando?", "por quê?" e "como?', o pregador tentará descobrir o que a passagem contém, para em seguida anotar as descobertas mais importantes.

Ao tomar notas sobre determinado trecho bíblico, o pregador precisa dispensar bastante atenção às funções gramaticais. Às vezes, o tempo dos verbos principais tem papel valioso na análise da passagem. Até mesmo uma preposição ou uma conjunção pode ser a chave para revelar algum aspecto essencial do texto.

O mensageiro também deve anotar padrões de linguagem que se encontram em toda a Bíblia, como a repetição, a comparação, o contraste, o intercâmbio, a progressão e a afirmação categórica. Por exemplo, o clamor repetido de Amós: "Por três transgressões [...] e ainda mais por quatro, não anularei o castigo", nos capítulos 1 e 2 de sua profecia, transmite a força da denúncia que Deus faz dos vizinhos ímpios de Israel e do julgamento iminente deste e de Judá.

Às vezes, uma omissão importante pode indicar algo muito significativo. Por exemplo, em Lucas 10.30-35, quando Jesus conta a história do bom samaritano ao advogado e a seguir lhe pergunta quem era o próximo do homem ferido, o perito na lei respondeu: "Aquele que teve misericórdia dele". Observe que o intérprete da lei não disse: "O samaritano". Obviamente, esse orgulhoso judeu, à semelhança de seus contemporâneos, nutria ódio intenso pelos samaritanos e não podia admitir que o estrangeiro misericordioso, ao agir como o verdadeiro próximo, pertencesse a uma raça que merecia dele completo desprezo.

Uma vez que a Bíblia explica a si mesma, o aluno, quando quiser explanar um texto, deve constantemente recorrer a ela. Passagens paralelas desempenham papel importante, e o pregador não deve hesitar em citá-las, não importa quão familiares sejam, desde que tenham relação com o texto em pauta. Outros pontos, aparentemente sem importância especial, como leves toques na narrativa ou ligações menores na cadeia de pensamento, também podem aumentar o interesse e a força do sermão.

Além disso, a Bíblia contém exemplos apropriados para quase todas as ocasiões. A familiaridade com suas passagens históricas fornecerá ao pregador vasto repertório de casos importantes, úteis para o esclarecimento de passagens com as quais, à primeira vista, pareçam não estar relacionados.

Ao fazer observações sobre determinada passagem bíblica, a recriação do texto em uma disposição estrutural, como se fez com

Lucas 19.1-10, no capítulo 3, permite descobrir itens que de outra forma poderiam passar despercebidos. Sugerimos, pois, que o leitor volte à análise estrutural da história de Zaqueu e note as seguintes observações que fizemos sobre essa narrativa.

v. 1-4 Não há motivo aparente para a vinda de Jesus a Jericó, mas confira v. 10: "O Filho do homem veio buscar [...]".

Daí a iniciativa ter partido de Cristo.

Busca de Zaqueu por Jesus:

propositada — não apenas para ver Jesus, mas para ver quem ele era;

persistente — a despeito das dificuldades encontradas;

engenhosa — subiu em uma árvore, de onde podia ter uma visão desimpedida.

Personalidade de Zaqueu (v. 2,5,7,8):

desonesto, avaro, mau, inamistoso, desprezado pelos outros.

v. 5-7 Jesus veio aonde Zaqueu estava:

olhou para Zaqueu;

chamou-o pelo nome;

escolheu-o dentre os demais;

convidou-se para ir à casa dele.

Amor de Jesus por Zaqueu:

amou-o apesar de seu caráter mau;

foi seu amigo quando ninguém mais se importava com ele.

Reação de Zaqueu:

imediata, ardente, alegre.

v. 8-10 Afirmação de Zaqueu:

chamou Jesus de "Senhor", então sujeitou-se a ele.

Fez uma promessa pública de:

dar aos pobres metade do que possuía, tornando-se, assim, generoso;

fazer restituição a quem fosse necessário, tornando-se, assim, honesto.

Assim, Zaqueu foi um homem transformado.

Afirmação de Jesus:

declarou a salvação de Zaqueu; sua salvação não se realizaria no futuro; já havia sido realizada.

Declarou o seu propósito:

buscar, salvar o perdido.

Zaqueu, o homem perdido, foi salvo.

Os que, em Jericó, tinham justiça própria (v. 7) continuaram perdidos!

Podemos fazer muito mais anotações acerca de Lucas 19.1-10. Entretanto, essas bastam para indicar que, como resultado de meditação em atitude de oração e observação cuidadosa, é possível descobrir aspectos fundamentais em uma passagem bíblica. Esse método pode ser de grande ajuda para o principiante que busca descobrir fatos importantes em um trecho bíblico por si mesmo, sem o auxílio de fontes extrabíblicas.

2. Outras formas de literatura

Incluímos, nesta seção, outras formas de literatura úteis para o desenvolvimento do sermão. Algumas, naturalmente, serão mais úteis que outras. Comentários críticos, expositivos e em forma de oração, livros de orações, de cânticos ou hinos têm valor especial. Outra fonte importante é a biografia cristã. Manuais e dicionários bíblicos, bem como livros de arqueologia e obras sobre os povos, os costumes e as regiões da época, proporcionam esclarecimento a muitas passagens das Escrituras. Sermões de grandes mestres também são muito valiosos.

Contudo, o aluno não tem de limitar-se à literatura religiosa. As fontes de materiais para o desenvolvimento do sermão podem vir de literatura relacionada a qualquer campo do conhecimento. Por exemplo, a ciência e a medicina são áreas das quais o pregador pode tirar material precioso, particularmente se ele for capaz de mostrar como as recentes descobertas nesses campos se relacionam com as verdades da Bíblia. Deve-se, porém, explicar os termos técnicos. Quando se falar a respeito de fatos alheios à teologia, convém comprovar as afirmações citando fontes fidedignas.

Evidentemente, o pregador não deve negligenciar os jornais e as revistas, pois lhe permitirão informar-se dos acontecimentos atuais e são uma fonte contínua de material a ser inserido na discussão.

3. Experiência

A experiência pessoal do mensageiro é outro meio importante de expandir as divisões do sermão. Quando o pregador dá testemunho do que tem sofrido ou visto, fala com a convicção inconfundível de quem viveu o que prega. Suas palavras transmitem a certeza de que ele tem conhecimento do que fala.

Alguns pastores pedem desculpas por se referirem a si mesmos usando expressões como: "Espero que perdoem a referência pessoal que vou apresentar". Em geral, é desnecessária tal observação. Contudo, quando o mensageiro conta um incidente tirado de sua experiência pessoal, deve ter o cuidado de não atrair a atenção para si. Seu único propósito deve ser glorificar o Senhor e transmitir ao povo uma compreensão mais clara da Escritura. É importante frisar que o pregador jamais deve contar, em circunstância alguma, uma experiência pessoal que não seja verdadeira.

O pregador deve também tomar cuidado, ao relatar algum acontecimento, de não revelar a identidade de pessoas às quais se refira, especialmente quando se tratar de algo pessoal ou que possa desmerecer os indivíduos envolvidos.

4. Observação do mundo que nos cerca

A vida tem um sem-número de elementos, alguns aparentemente triviais, mas que podem tornar um sermão mais interessante, se o pregador souber relacioná-los com as verdades espirituais das Escrituras. Jesus usou como lições objetivas os lírios no campo, os pássaros no ar, a semente no chão, os peixes no mar e até os cabelos humanos. Da mesma forma, o pregador, para qualquer lado que se volte, encontra assuntos da vida cotidiana repletos de significado, lugares-comuns que, se forem empregados de maneira judiciosa, podem tornar o sermão vivo e atraente.

5. *Imaginação*

O orador pode criar imagens que aumentem bastante a eficácia da discussão. São descrições que dão um toque de originalidade no tratamento do assunto. O uso da imaginação no sermão pode, pois, ser um grande aliado do pregador.

O mensageiro, porém, ao empregar imagens, deve sempre impor-se algumas restrições: cuidar para que a imaginação não o leve a extremos. Por exemplo, pode-se descrever um incêndio imaginário a bordo de um navio e o desespero dos passageiros procurando uma saída. No entanto, apresentar os detalhes das chamas a lamber as vítimas e o sofrimento delas seria fazer uso imprudente da imaginação. O pregador deve evitar a todo custo a criação de fatos improváveis ou totalmente irreais. Tal prática seria ridícula. Além disso, com relação a narrativas bíblicas, o pregador não deve descrever como verídico o que apenas imagina ou supõe ser verdade. Por exemplo, seria errado dizer que os jovens enviados por Josué para espionar a terra prometida eram fortes e simpáticos e que atravessaram o Jordão em uma balsa, quando a Bíblia não fornece tais informações. Todavia, recorrendo a imagens, podemos indicar que estamos falando hipoteticamente. Poderíamos dizer: "Pensem nos dois espiões. Podemos vê-los como jovens ágeis e fortes, desejosos de servir a Deus e ao povo de Israel. Obedeceram à ordem de Josué e, sem nenhuma hesitação, entraram na cidade hostil".

Pelo que acabamos de afirmar, deve ter ficado claro que o exercício da imaginação pode desempenhar um papel vital na discussão e dar ao sermão um toque de frescor e interesse que não se obtém de nenhum outro modo. Deve-se, porém, aplicar sempre duas regras básicas: moderação e bom gosto. Isto é, evitar o grosseiro e o absurdo.

PROCESSOS RETÓRICOS NO DESENVOLVIMENTO DO ESBOÇO DO SERMÃO

Vários são os processos retóricos usados na expansão ou no desenvolvimento do esboço do sermão, a saber: explanação, argumentação, citação, ilustração e aplicação. Nem sempre se empregam todos eles em uma única mensagem. Seu uso será determinado pela maneira em que o sermão é desenvolvido.

A ordem dos processos retóricos depende de várias circunstâncias e condições. Às vezes, a aplicação pode vir antes da citação ou da argumentação; outras vezes, pode-se apresentar uma ilustração antes da explanação. Em outras ocasiões, a citação pode vir antes da explanação. A unidade do sermão e sua progressão lógica indicarão a ordem em que os processos de retórica serão introduzidos.

Como a ilustração e a aplicação têm importância especial para a mensagem, devotaremos um capítulo a cada uma delas. Agora passaremos a examinar com detalhes os outros três processos retóricos.

1. Explanação

Afirmamos anteriormente que um dos aspectos mais importantes do sermão é a explanação do texto. Isso é verdade não apenas quanto aos sermões textual e expositivo, mas também com relação ao temático, elaborado sobre uma verdade bíblica. Em outras palavras, sempre que a mensagem é baseada na Bíblia, a parte ou as partes do texto sagrado devem ser explanadas clara e corretamente. É essa feição da mensagem que torna a pregação verdadeiramente bíblica e lhe confere autoridade. A Palavra de Deus converte-se, então, no próprio tecido do sermão, e cada parte importante do discurso é elaborada sobre o fundamento sólido das Escrituras.

Contudo, o estudioso da Bíblia logo percebe que a biblioteca divina de 66 livros foi redigida em muitos estilos literários. Uma parcela considerável foi escrita em diferentes gêneros discursivos: história, profecia, carta, revelação e parábola. Ao mesmo tempo, grande parte do Antigo Testamento aparece em forma de poesia hebraica, com seus paralelismos distintivos. Nestes encontram-se padrões literários como repetição, contraste e ampliação do pensamento e o uso frequente de imagens e figuras de retórica.

É, pois, evidente que, ao decidir interpretar qualquer parte das Escrituras, o aluno deve primeiro identificar o tipo de literatura bíblica com que está lidando e, a seguir, observar as leis de hermenêutica que regem sua interpretação.

a) Processos exegéticos envolvidos na explanação

Em geral, os processos envolvidos na explanação incidem em categorias claramente definidas.

(1) O contexto

Um dos processos exegéticos é o estudo do contexto — imediato e remoto. O exame do contexto, muitas vezes, ajuda ao mesmo tempo o ouvinte e o pregador a reconhecer as limitações do significado de uma palavra ou afirmação, impedindo, assim, uma análise errada do texto.

Suponhamos, por exemplo, que o pregador esteja falando sobre a segunda parte de Filipenses 2.12: "Ponham em ação a salvação de vocês com temor e tremor". O contexto imediato mostra que o apóstolo não se referia a nenhum esforço da parte dos cristãos filipenses para obter a salvação mediante as obras. A primeira parte do texto mostra que Paulo se referia à obediência dos filipenses, não apenas quando ele estava presente, mas também quando ausente.

(2) Referências

Uma exegese correta também incluirá a correlação do texto com outras partes da Bíblia. O mensageiro deve fazer uso frequente de passagens paralelas, comparando ou contrastando o texto que pretende explanar com outras partes bíblicas. Isso ocorre especialmente com muitas passagens dos Evangelhos, sobre as quais, às vezes, um exame dos escritos paralelos lança bastante luz, possibilitando ao ouvinte entender mais claramente o significado de uma passagem isolada. O pregador também deve ser capaz de citar de cor passagens paralelas, mas, quando não conseguir fazê-lo, é melhor lê-las diretamente na Bíblia.

(3) Aplicação das normas de linguagem

A interpretação sadia da Bíblia também depende da aplicação das normas da língua. Chamar a atenção do ouvinte para alguma regra gramatical importante, para as gradações ou variações sutis do significado de determinadas palavras no original, para uma figura de retórica, alguma figura de linguagem, como a metonímia ou a metáfora, ou para a etimologia de determinada palavra pode ser bastante útil para o esclarecimento de um texto aparentemente ambíguo ao ouvinte médio.

Para ajudar na interpretação de uma passagem, muitas vezes é útil citar outras traduções ou versões da Bíblia. Deve-se ter cuidado com a citação de uma paráfrase bíblica, pois, embora a tradução seja a tentativa de transmitir em outra língua o sentido do texto original, este é reproduzido de modo mais livre na paráfrase.

As obras de muitos religiosos eruditos são o resultado de pesquisa bíblica e contêm tesouros espirituais úteis para a preparação de sermões. O mensageiro deve, pois, em seu estudo, recorrer a comentários exegéticos, expositivos e devocionais. Se encontrar uma afirmativa particularmente aplicável, poderá citá-la literalmente no sermão.

(4) Fundo histórico e cultural

O fundo histórico e cultural do texto e os dados geográficos mencionados nele podem ter grande importância para determinar seu significado na conjuntura antiga. O uso de uma enciclopédia adequada, de uma introdução à Bíblia ou de um bom manual bíblico será de grande ajuda na obtenção de informações de natureza histórica e cultural. Embora um atlas bíblico forneça importantes informações geográficas, o pregador deve fazer um exame completo das próprias Escrituras, a fim de descobrir o cenário da passagem.

Discutimos um pouco demoradamente a interpretação do texto, pois é fundamental a obrigação do pregador de explanar as Escrituras de modo fiel e claro. Para tanto, ele deve realizar uma investigação completa do texto a fim de chegar ao significado que, honestamente, acredita ser o correto. É seu dever, com toda a seriedade, apresentar à congregação não o que gostaria que o texto dissesse, nem o que sua igreja prefere ouvir, mas o significado que ele, conscientemente, considera certo.

Ao explicar o texto, evite a citação de palavras e frases hebraicas ou gregas. Antes, traduza-as de modo que sejam compreendidas pelos ouvintes. Da mesma forma, evite referência a aspectos gramaticais sem significação para o ouvinte médio. Por exemplo, dizer à congregação que determinado verbo está no aoristo, no modo subjuntivo ou na voz ativa não é do interesse da maioria dos ouvintes. Com efeito, referências frequentes a aspectos gramaticais do texto nas línguas originais tende a confundir e distrair e dá a impressão de que o pregador está procurando exibir seu conhecimento de grego e hebraico.

b) Resolvendo uma passagem problemática

Sem dúvida, chegará a ocasião em que o pregador terá de lidar com uma passagem difícil. Em vez de fazer uma asserção dogmática a respeito do significado do texto, melhor será respeitar as interpretações de religiosos eruditos, particularmente se elas tiveram grande aceitação por parte dos cristãos do passado. Contudo, se depois de um estudo diligente não conseguir chegar a uma conclusão satisfatória quanto à interpretação de uma passagem difícil, o mensageiro deve tomar o devido cuidado para não torná-la ainda mais obscura com uma explicação medíocre. Sempre que a pesquisa for inconclusiva, isto é, quando o pregador não conseguir explanar o texto, é melhor simplesmente admitir a dificuldade e passar a outras verdades que possa explicar corretamente.

O pregador tem a obrigação de explicar a passagem bíblica, mas, como regra geral, a congregação ficará impaciente se a interpretação for prolongada demais. Como indicamos anteriormente, o povo não precisa do processo do estudo exegético do mensageiro, apenas dos resultados.

Antes de deixar o assunto da explanação, devemos chamar a atenção, como fizemos no capítulo 3, para um risco comum com que o jovem pregador pode deparar.

c) Tratamento dos detalhes

Depois de ter estudado todos os detalhes do texto e de ter-se interessado por eles, o pregador muitas vezes é tentado a apresentar muitos outros pontos, ultrapassando, assim, as limitações do sermão. Dessa maneira, a apresentação fica tão pesada que os ouvintes têm dificuldade em acompanhá-la, e poucos são os pontos que se gravam na mente. O pregador deve tomar a firme resolução de omitir determinados detalhes e escolher somente os que requerem explicação especial e, ao mesmo tempo, fornecem material interessante. Em outras palavras, apresente apenas os aspectos salientes do texto, capazes de contribuir para a ideia principal do sermão.

A propósito, ao deixar de lado alguns pontos e fatos de valor contidos no texto, mas não relacionados com o sermão, guarde esse material, pois lhe pode ser útil no futuro. Continuando a estudar as Escrituras, aos poucos o pregador adquirirá mais conhecimento e descobrirá como os detalhes dispensáveis em um sermão podem muito bem encaixar-se no desenvolvimento ou na ampliação de outro.

O estudioso assíduo da Bíblia verificará também que, examinando as palavras importantes de uma passagem, poderá descobrir princípios ou verdades sugeridos por ela. Tais princípios ou verdades, por sua vez, poderão indicar o tema ou ideia principal do sermão. Em outras palavras, em vez de tentar, logo de início, formular a proposição, construir o esboço e depois examinar os detalhes da passagem, o pregador pode inverter o processo.

2. *Argumentação*

a) Valor da argumentação

A argumentação tem um espaço importante nas Escrituras, e, como confere grande peso ao sermão, o pregador não deve hesitar em usá-la. A argumentação é, também, um meio poderoso de expandir o esboço do sermão e, em algumas ocasiões, essencial para produzir provas. O raciocínio metódico preenche as exigências do intelecto humano, que pede bases sólidas para a fé, e uma afirmativa corroborada por evidências consistentes possui autoridade.

Além disso, vivemos em uma época que exige do pregador do evangelho uma exposição clara, adequada e segurança das razões de sua fé. Alguns jovens da igreja são assaltados pela desconfiança ou pelas críticas de colegas com respeito à Palavra de Deus; alguns levantam dúvidas sobre os padrões cristãos; outros se mostram confusos diante das descobertas arqueológicas e científicas que têm relação com a Bíblia. É, pois, muito importante que o sermão contenha evidência bem documentada, capaz de inspirar segurança na mente das pessoas, mostrando-lhes como os fundamentos da fé cristã repousam sobre o alicerce sólido da verdade revelada sobrenaturalmente e como os princípios éticos da revelação divina produzem caráter cristão e conduta correta.

b) Métodos de argumentação

São vários os métodos pelos quais o mensageiro pode convencer os ouvintes da veracidade do que lhes afirma.

(1) Uso da Bíblia

O método principal de argumentação, e o melhor, é o uso da Bíblia. Quando consegue mostrar em seu sermão que "assim diz o Senhor", o pregador fala com uma autoridade que atrai a confiança dos ouvintes. As pessoas reconhecem instintivamente que o mensageiro não está expressando ideias ou opiniões próprias, mas transmitindo declarações divinas, e estas eles não têm o direito de contradizer ou negar. Todavia, em seus esforços persuasivos, o mensageiro deve usar os oráculos sagrados de modo inteligente e apropriado. Os textos de prova não devem ser separados do contexto, pois a interpretação deve estar sempre de acordo com o significado que os autores sagrados lhe quiseram dar.

(2) Raciocínio lógico

Outro método de argumentação é o raciocínio, isto é, o uso de processos lógicos para chegar a uma conclusão ou levar as pessoas a se decidir. A analogia, o argumento que parte da causa para o efeito ou do efeito para a causa, a prova cumulativa, bem como a indução e a dedução, constituem diferentes formas de retórica persuasiva.

A Bíblia contém numerosos exemplos de raciocínio lógico, mas para nosso propósito mencionaremos apenas alguns casos de polêmica bíblica. O apelo final de Josué aos anciãos e ao povo de Israel contém várias provas da bondade do Senhor para com eles, e seu propósito é desafiá-los ao serviço leal a Deus. A mensagem de Pedro no dia de Pentecoste estabelece a legitimidade da ressurreição de Cristo sobre a base das Escrituras do Antigo Testamento, do testemunho pessoal dos discípulos e do derramamento do Espírito Santo. O discurso de Estêvão na presença do concílio judaico contém uma série de provas da atitude repreensível de Israel para com o Senhor, a fim de condená-los por haverem matado o Messias. Grande parte da carta de Paulo aos Romanos é um tratado da racionalidade da doutrina da justificação pela fé.

O próprio Cristo empregou a argumentação. Observe sua lógica quando ensina seus seguidores a descansar seguros do cuidado do Pai celeste. Usando a imagem da erva do campo, ele raciocinou: "Se Deus veste assim a erva do campo, que hoje existe e amanhã é lançada ao fogo, não vestirá muito mais a vocês, homens de pequena fé?" (Mateus 6.30). Jesus também argumentou ao ser desafiado pelos seus adversários. Por exemplo, quando os fariseus o acusaram de expelir demônios pelo poder de Belzebu, ele contra-atacou, argumentando que a casa dividida contra si mesma não permanece de pé e que, se Satanás estivesse dividido contra si mesmo, seu reino não subsistiria (v. Mateus 12.24-28).

(3) Testemunho

O terceiro tipo de argumentação é o testemunho. Podemos classificá-lo apropriadamente sob o raciocínio lógico, porque a prova só pode ser estabelecida mediante a evidência. Contudo, preferimos tratar dele separadamente, por causa de sua importância especial. O valor do testemunho depende de sua autenticidade. Sendo esse o caso, vale a pena notar os fatores envolvidos no estabelecimento de sua veracidade. Um deles é o número de testemunhas. Quanto maior o número, tanto mais forte a evidência, desde que as testemunhas, é claro, comprovem o fato. O conhecimento, a honestidade e a sinceridade das testemunhas contribuem para determinação da credibilidade e veracidade de suas afirmativas. Finalmente, a natureza dos fatos atestados também conduz à aceitação da evidência.

Uma forma de testemunho é o uso de dados ou fatos estatísticos. Quando consegue reunir números ou fatos importantes em seu argumento, o pregador protege-se com evidência segura. Antes, porém, ele deve certificar-se da fidelidade das informações. Se quiser impressionar o público comprovando sua legitimidade, convém, em determinadas ocasiões, citar as fontes das quais colheu o material. Dados incorretos de fontes questionáveis dão a impressão de que o mensageiro é ingênuo ou está tentando enganar a congregação mediante afirmativas falsas.

(4) Sequência lógica do esboço

A disposição do sermão em uma sequência lógica também pode ser um meio de persuasão, particularmente quando o objetivo da mensagem é provar um ponto. Se, por exemplo, tomarmos como tese a afirmativa: "A Palavra de Deus pode agir de modo surpreendente na vida do indivíduo", podemos prosseguir apresentando evidências tiradas da Bíblia.

Elaboramos um esboço como o seguinte:

Título: O poder da Palavra de Deus

I. Tem poder de dar vida espiritual (1Pedro 1.23);
II. Tem poder de purificar (João 15.3);
III. Tem poder de santificar (João 17.17);
IV. Tem poder de produzir crescimento espiritual (1Pedro 2.2).

c) Precauções no uso da argumentação

Concluímos esta seção sobre a argumentação com duas recomendações.

Alguns pregadores, em seu zelo pela verdade, parecem obcecados pela ideia de que foram chamados para defender a fé e, assim, enchem seus sermões com argumentos ou invectivas virulentas contra tudo que não estiver de acordo com suas opiniões. Charles H. Spurgeon menciona um homem desse tipo, que andava com um "revólver teológico" pronto para atirar em qualquer pessoa que tivesse um pensamento heterodoxo ou não concordasse com a sua posição doutrinária. Essa atitude belicosa, totalmente alheia ao espírito cristão, pode produzir efeitos muito danosos. Embora devamos lutar com diligência pela fé, não precisamos ser hostis.

O homem de Deus deve não somente evitar uma atitude de censura ou de ataque em sua pregação, mas tomar cuidado para não provocar a hostilidade dos ouvintes mediante o sarcasmo ridículo ou amargo. A polêmica bíblica pode exigir, às vezes, o que William Ayer chama "sarcasmo santo", como o de Elias para com os 450 profetas de Baal no monte Carmelo (v. 1Reis 18.19-27), mas, em geral, é mais saudável ao orador apegar-se a argumento lógico, mas eficaz.

Outra recomendação de cautela quanto ao uso do argumento: quando grande parte do sermão consiste em argumentação, ele pode tornar-se pesado e monótono. Estatísticas e outros pormenores citados como provas de determinado caso também podem ser áridos e desinteressantes. Portanto, o pregador deve desenvolver a habilidade de apresentar seus argumentos e evidências de modo atraente. Por exemplo, em vez de dizer que existe aproximadamente 1 bilhão de pessoas na China, muito mais significativo seria declarar que um entre quatro homens no mundo é chinês; que uma entre quatro mulheres no mundo é chinesa; que um entre quatro rapazes no mundo é chinês; que uma entre quatro meninas no mundo é chinesa.

3. Citações

As citações podem acrescentar grande interesse ao sermão. Um dito apropriado em ocasião oportuna dá força e vigor à mensagem. O pregador deve fazer uso das citações, mas precisa precaver-se a fim de não empregá-las em demasia.

Chamamos a atenção do leitor para quatro tipos de citação que podem ser usadas no sermão.

a) Textos bíblicos

Já nos referimos à citação bíblica no sermão, mas vale a pena insistir em que nada confere mais autoridade ao sermão do que a citação oportuna das Escrituras. Embora a mensagem seja a exposição de um texto bíblico, a citação de uma passagem paralela serve para gravar a verdade na mente dos ouvintes. No entanto, mesmo na citação da Bíblia, o pregador deve certificar-se de que os textos são apropriados e pertinentes.

b) Ditos breves

Os ditados populares, às vezes, podem vir em forma de provérbios, como: "Conhece-se o amigo na hora de necessidade"; "Mais vale prevenir do que remediar"; "Mais vale um pássaro na mão do que dois voando". Provérbios provenientes de outros povos ou civilizações também podem ser usados com vantagem. Os chineses têm um adágio que diz: "O que fica parado na lama afunda-se nela". Outras máximas chinesas: "As mais altas torres começam no chão";

"O sábio vê oportunidade na dificuldade; o tolo vê dificuldade na oportunidade"; "Aonde o homem deseja ir, para lá seus pés o levam"; "Uma coisa adquirida com dificuldade é melhor que cem adquiridas com facilidade".

Um segundo tipo de ditado consiste em verdades espirituais específicas, apresentadas em poucas palavras. Eis alguns exemplos:

"Servir a Cristo não é trabalho extra, mas transbordamento."

"Fora da vontade de Deus, não existe sucesso; dentro da vontade Deus, não existe fracasso."

"Nossos grandes problemas são pequenos para o poder de Deus; nossos pequenos problemas são grandes para seu amor."

"O pouco com Deus é muito."

"Tenho grande necessidade de Cristo; tenho um grande Cristo para minha necessidade."

"Deus não faz distinção de pessoas, mas respeita suas promessas."

"O mais alto que podemos chegar nesta vida é dobrarmo-nos aos pés de Jesus."

O pregador deve colecionar e organizar tais ditos de forma que estejam facilmente disponíveis quando deles necessitar. Se quisermos que a citação de um aforismo seja eficaz, devemos fazê-la de memória, mas o pregador deve certificar-se de que ela não contenha uma simples meia verdade, um exagero ou uma distorção da verdade.

c) Afirmativas oriundas de fontes confiáveis

Afirmativas importantes, tiradas de fontes confiáveis, constituem outro tipo de citação proveitosa no desenvolvimento do sermão. Não é preciso que as afirmativas sejam inteiramente teológicas, mas devem ser pertinentes à mensagem.

Se, por exemplo, o pregador estiver falando do combate espiritual e quiser dar ênfase à necessidade de o cristão suportar a adversidade como bom soldado de Jesus Cristo, ele pode citar a seguinte afirmativa concernente à disciplina militar, mostrando o paralelo com o treinamento do soldado cristão para o serviço do Senhor.

> Os soldados devem orgulhar-se de si mesmos. Se não tiverem orgulho, se não forem bem disciplinados, terão desperdiçado o seu tempo. É esta a prioridade maior: o soldado deve ter orgulho do que faz.

Como outro exemplo do uso de uma afirmativa importante, citamos parte de um artigo publicado na revista *The Oregonian*, em 25 de maio de 1967. Larry Dotson, ex-presidiário, fala a uma turma de 40 ginasianos em Portland, estado de Oregon, sobre a vida em uma penitenciária.

> Quando a escuridão e o silêncio da noite envolvem uma grande cadeia, cada preso tem como colega de cela sua vida desperdiçada.
>
> E tarde da noite, quando os homens pensam que todo o mundo dorme, é aí que ouvimos o choro — indivíduos de 35 ou 40 anos de idade chorando. É então que descobrimos o que é a miséria e a tristeza completas.

Esse relato ajusta-se ao quadro que a Palavra de Deus apresenta da prisão em que os homens serão preservados para as trevas eternas, onde há choro e ranger de dentes.

É aconselhável mencionar o autor da citação e, em circunstâncias especiais, a sua fonte, particularmente se estiver falando de um assunto controverso e se a menção do nome do autor der apoio às suas afirmativas.

Devem-se observar vários outros princípios referentes ao uso de citações. Esteja sempre seguro de que elas são corretas e verdadeiras. Se tiver de usar uma citação que não representa suas convicções, esclareça esse fato. Evite por completo toda citação ou afirmação depreciativa do nome ou caráter de alguém, embora corroborada por fatos conhecidos de todos. Afirmativas dessa natureza podem levar o pregador a ser acusado de difamação. Finalmente, não faça citações longas.

d) Poesia

A citação de poemas tem seu lugar apropriado no sermão. Os hinos com expressões elevadas de louvor ou que falam dos anseios da alma são uma fonte valiosa de citações para mensagens religiosas. Hinos que falam de consolo na aflição podem ser usados nos sermões sobre sofrimento e provações. Outros tipos de cânticos sacros podem ser relacionados com várias formas de mensagem. A poesia secular, quando corretamente citada, também pode ser usada com vantagem na expansão do sermão.

Ao recorrer à poesia, o pregador deve cuidar para que as partes selecionadas não sejam longas demais. Ao citar um hino, em geral uma ou duas estrofes são suficientes. Às vezes, a citação de duas linhas é mais eficaz do que a estrofe toda.

O fato de o auditório conhecer um hino não diminui o valor da citação. Com efeito, o conhecimento que a congregação tem do hino muitas vezes aumenta o interesse no sermão.

Contudo, não se deve exagerar a quantidade de citações de poesia, não importa quão oportunas ou expressivas sejam. Como em outras formas de citação, o pregador deve evitar o uso demasiado de poemas.

MÉTODO DE REGISTRO DOS PROCESSOS RETÓRICOS NAS NOTAS DO SERMÃO

O pregador deve preparar as notas para o sermão de forma que as consiga ler de relance. As frases da expansão da mensagem devem ser extremamente concisas, desde que legíveis. Sempre que possível, em vez de orações completas, o mensageiro deve usar frases curtas. As palavras mais longas também podem ser abreviadas.

Para maior clareza e para que as notas de cada seção do esboço possam ser lidas rapidamente, deve-se formular cada ideia em uma linha separada, e o material de cada divisão principal ou subdivisão deve vir em forma de parágrafo.

Como exemplo de expansão de uma mensagem, apresentamos a seguir o desenvolvimento do esboço "Conquistado pelo amor", baseado em Lucas 19.1-10. Observe a concisão das frases e o uso correto do espaço.

Reproduzimos, de propósito, todas as transições por completo a fim de mostrar ao aluno como elas, quando adequadamente expressas, suavizam a mudança de ideias de uma seção principal para a outra.

Introdução:

1. A Bíblia apresenta a conversão de vários "casos perdidos"; por exemplo, Maria Madalena, o endemoninhado de Gadara, a mulher samaritana.
2. Razão provável para essas apresentações — encorajar-nos à salvação de "casos perdidos".
3. Z. — outro caso perdido.

Proposição: O Senhor alegra-se em ganhar o indivíduo que para nós pode parecer um "caso perdido".

Oração interrogativa: O que podemos aprender da narrativa acerca de Z. que isso é verdade?

Oração de transição: Um exame dos três fatos principais nessa passagem a respeito de Z. revelará que o Senhor alegra-se em ganhar alguém que parece um "caso perdido".

I. Buscando Z. (v. 1-4)

1. O modo da procura (v. 1)

De modo quieto e calmo, mas cf. v. 1 c/ v. 10 — o propósito de Cristo ir a Jericó — procurar Z., chefe dos publicanos. Publicanos — recebedores de impostos na Palestina empregados pelo governo romano, dados à extorsão, corrupção (cf. v. 8) — rico, provavelmente, como resultado de avareza, fraude.

2. O efeito dela (v. 2-4)

A vinda de Cristo criou em Z. um grande desejo de ver J. "Procurava", lit. "continuava tentando", mas não conseguia — de pequena estatura. Tão odiado (v. 7) que provavelmente ninguém lhe desse a oportunidade de ver J., daí ele subir em uma árvore.

Comentaristas: Motivo do desejo de Z. — curiosidade, mas cf. referências anteriores em Lucas ao interesse de Cristo pelos publicanos (v. Lucas 15.1,2; 18.9-14). Z., provavelmente, ouviu outros publicanos falarem da atitude amável de J. para com homens como ele, daí "procurava ver quem era". Mas, muito antes de Z. procurar J., J. o procurou. Z. não teria procurado J. se J. não o houvesse procurado primeiro. Como o pastor, que deixou 99 ovelhas para buscar a perdida, J. foi a Jericó a fim de buscar esse pecador perdido.

Ilustração: Lady Huntington, da Inglaterra, cristã fervorosa, foi visitar um homem moribundo. O homem clamou em agonia: "Estou morrendo perdido!". Huntington: "Dê graças a Deus por isso". O moribundo: "Como vou agradecer por isso?". Huntington: "Porque o Filho do homem veio buscar e salvar o perdido".

Todavia, para que os perdidos sejam ganhos, é preciso que nós, como J., vamos a eles, um a um.

Transição: Vimos que, porque o Senhor se alegra em ganhar um "caso perdido", ele procurou Zaqueu. Mas a história de Z. nos leva a observar outro lado significativo em relação a esse homem, a saber,

II. Sendo amigo de Z. (v. 5-7)

1. O seu modo (v. 5)

Jesus se dirigiu a Z. pelo nome; convidou-se para ir à casa de Z. Motivo: Z. não tinha amigos; a cidade toda considerava-o um homem de má reputação (cf. v. 7).

Luciano, escritor grego, descreveu os coletores de impostos como "adúlteros, alcoviteiros e parasitas". Assim, Jesus diz em realidade: "Embora todos o odeiem, eu desejo ser seu amigo".

"Desce depressa" sugere o desejo de Jesus de tornar-se amigo de Z.

2. Os efeitos (v. 6,7)

Ao ouvir seu nome, Z., provavelmente percebeu que, embora Jesus soubesse tudo a seu respeito, ainda assim desejava ser seu amigo; daí ele ter-se apressado, recebido J. com alegria — cheio de contentamento por ter encontrado um amigo. Assim, o amor entrou no coração de Z. Os perdidos podem ser ganhos quando nós, à semelhança de Jesus, amamos os que não são dignos de ser amados, os alcançamos pela bondade, os ganhamos sendo cativantes.

Ilustração: Salvação de um sargento por causa da amabilidade de um soldado raso cristão.

Transição: Já vimos dois fatos importantes nesses versículos com referência a ganhar esse homem sem esperança.

Vejamos agora um terceiro fato, que é:

III. A salvação de Z. (v. 8-10)

1. A manifestação dela (v. 8)

(1) Uma atitude mudada — "Senhor"

Antes disso, Z. vivia para o eu, agora ele coloca o eu sob o domínio de Cristo.

(2) Uma vida mudada

Da fraude egoísta e ímpia a um homem generoso e amável. O amor de J. entrou de tal forma no seu coração que produziu amor:

a. Em dar aos outros — "Resolvo dar aos pobres a metade dos meus bens". O método da doação — não um décimo, mas a metade.

Nota: "Resolvo dar" — tempo presente — para ser um padrão contínuo.

b. Propósito da restituição — "Restituo quatro vezes mais". Lei do AT — quando alguém confessava o pecado de roubo, tinha de devolver os bens roubados, acrescentando um quinto a esse valor (Números 5.7), mas a obrigação que Z. impôs a si mesmo — quatro vezes.

Cristo também pode hoje transformar casos sem esperança (2Coríntios 5.17) — "Se alguém está em Cristo, é nova criação". Se não há mudança real na vida, questionar a salvação.

A natureza nos forma,
O pecado nos deforma,
A escola nos informa,
Somente Cristo nos transforma.

2. A declaração dela (v. 9,10)
"Salvação" — lit. "libertação" (do pecado).
"Filho de Abraão" (cf. Gênesis 15.6; Gálatas 3.7). Como Abraão creu em Deus e isso lhe foi imputado como justiça, da mesma forma Z. creu em Cristo e tornou-se descendente espiritual de Abraão.
Atos 10.43 — Por meio do seu nome, "todo o que nele crê recebe o perdão dos pecados".
Transição: Quão claramente a narrativa da amizade de Jesus com Zaqueu e da salvação dele revela como o Senhor se alegra em ganhar um indivíduo que pode nos parecer um "caso perdido". Certamente isso deve dar-nos segurança quanto à salvação dos que vemos como "casos perdidos".
Conclusão:
1. Cristo pode salvar e transformar os "casos perdidos" por quem temos ansiado.
2. Cristo quer usar-nos como instrumentos para ganhar os "casos perdidos" pela manifestação de seu amor por nosso intermédio.

Note que, além da verdade eterna contida na proposição desse esboço, afirmamos outros três princípios no decurso da mensagem. Na primeira divisão principal, temos a afirmação: "Se queremos ganhar os perdidos, nós, à semelhança de Cristo, devemos procurá-los, um a um". Na segunda divisão principal, expressamos outra verdade permanente: "Os perdidos serão ganhos quando nós, à semelhança de Cristo, amarmos os que não são dignos de serem amados". Na terceira divisão principal, antes de chegar à segunda subdivisão, encontramos a última verdade eterna: "Cristo pode transformar hoje os casos perdidos".

Outro modo de tratar Lucas 19:1-10 é procurar, na passagem, princípios ou verdades sugeridos pelo texto. Podemos começar com a seguinte tese: "Para Jesus, não há casos perdidos". Tomando essa afirmativa como proposição, procuramos determinados princípios relacionados com ela. Examinando o texto bíblico, descobrimos três motivos pelos quais podemos ter certeza de que, para Jesus, não há casos perdidos, e a seguir os apresentamos em forma de esboço:

Título: Esperança para os perdidos

I. Porque Jesus procura os casos perdidos (v. 1-4);
II. Porque Jesus é gracioso para com os casos perdidos (v. 5-7);
III. Porque Jesus salva os casos perdidos (v. 8-10).

Um terceiro método de tratar a passagem é fazer um resumo biográfico do caráter de Zaqueu, mostrando quem era ele antes de se converter e a transformação ocorrida depois que Jesus se dirigiu a ele na árvore. Um título oportuno seria: "Transformado pela graça".

Como exemplo adicional da expansão do esboço, apresentamos o seguinte, intitulado "A cruz de espinhos", com base em João 19.1-5 e Gênesis 3.14-18. Jamais conseguiremos sentir em profundidade os sofrimentos de Cristo na cruz nem descrever sua agonia final. Contudo, apresentamos o esboço a seguir como um modelo de sermão temático.

Título: A cruz de espinhos

Introdução:

1. Festival Anual da Rosa em Portland, Oregon, tem como clímax a coroação da rainha com diadema de brilhantes, em meio a pompa e cerimônia.
2. Contrastar a coroação de Cristo — homem ideal, Rei da graça, praticou o bem. Se alguém já foi digno de honra, ele o foi; recebeu, porém, não um diadema de brilhantes, mas uma coroa de espinhos.

Proposição: Um cristão sincero alegra-se em honrar seu Salvador.

Oração interrogativa: Por que ele se alegra em fazê-lo?

Oração de transição: Entre os motivos pelos quais o cristão se alegra em honrar seu Salvador, está o tríplice significado da coroa de espinhos que Cristo levou na cruz. Ele viu, nas passagens do Novo Testamento sobre a coroa de espinhos (Mateus 27.28; Marcos 15.17; João 19.2,5) que...

I. ... foi uma coroa de sofrimento.

1. Indicativa dos sofrimentos físicos pelos quais Cristo passou. Que sofrimento Cristo deve ter suportado quando lhe colocaram a coroa na cabeça, com os espinhos penetrando-lhe a fronte, e quando os soldados bateram em sua cabeça com uma cana (Marcos 15.19)!

Gênesis 3.17,18 — os espinhos surgiram como resultado do pecado; uma vez que Cristo foi feito pecado por nós, também suportou a consequência do pecado — o sofrimento que o acompanha.

2. Expressivo da maldição que Cristo levou por nós.

Cf. Gênesis 3.17,18 — por causa do pecado do homem, até o solo foi amaldiçoado; espinhos exprimem essa maldição. Espinhos na fronte de Jesus expressam também a maldição que suportou por nós — "[...] quando se tornou maldição em nosso lugar, pois está escrito: 'Maldito todo aquele que for pendurado num madeiro' " (Gálatas 3.13). Não se pode conceber a intensidade de sua agonia ao ser amaldiçoado em nosso lugar, mas um sinal de seu sofrimento foi expresso no clamor: "Meu Deus! Meu Deus! Por que me abandonaste?" (Mateus 27.46).

Transição: Contudo, quando considera o que as Escrituras dizem acerca da coroa de espinhos, o cristão fiel descobre que ela não foi somente uma cruz de sofrimento, mas também que...

II. ... foi uma cruz de escárnio.

1. Indicativa do escárnio que os soldados lançaram sobre ele. Sem dúvida, os soldados ouviram falar do julgamento de Cristo sob Pilatos quanto a Jesus ser rei ou não. Em sua

cegueira, eles provavelmente pensavam no absurdo de alguém aparentemente tão indefeso dizer-se rei; então, colocaram-lhe na cabeça uma coroa de espinhos, como se afirmassem: "Não passa de um rei falso, que se enganou a si mesmo!".
Que tratamento para Cristo, o Rei da graça, escarnecido com uma coroa de espinhos!
2. Expressiva da atitude que os homens tinham para com ele.
Observe o ridículo a que Cristo se submeteu pendurado na cruz (Mateus 27.39-44).
Isaías 53.3 — "Foi desprezado e rejeitado pelos homens".
Considere a condescendência de Cristo em permitir que homens ímpios e perversos tratassem o Rei da glória com tal humilhação e desprezo.
Motivo de ter Cristo suportado isso (Hebreus 12.2): "Em troca da alegria que lhe tinha sido proposta — para erguer-nos do pecado, da humilhação e levar-nos para a glória.
Transição: Ao examinar as passagens do Novo Testamento relacionadas com a coroa de espinhos, descobrimos que, embora os homens ímpios tivessem a intenção de fazer dela um instrumento de agonia e humilhação para Jesus, em sua soberania e poder, Deus fez que ela...

III. ... fosse uma coroa de vitória.

1. Indicativa do triunfo dele sobre os adversários.
"Coroa", em cada referência à coroa de espinhos, é uma coroa de vitória dada ao vencedor nos jogos olímpicos. Assim, embora os soldados pretendessem que a coroa fosse um símbolo de ignomínia, mediante esse ato coroaram-no com a coroa da vitória.
Note a inscrição na cruz: "JESUS NAZARENO, O REI DOS JUDEUS" (João 19.19). Os judeus apelaram para que se alterasse o título; Pilatos rejeitou o pedido (João 19.21,22). Pilatos estava certo, pois, embora os judeus tivessem rejeitado Cristo como rei, ele ainda era rei, e reinava sobre tudo, dirigindo tudo para a realização de seus propósitos.

Foi uma coroa ideal para Cristo, pois, enquanto Satanás fazia o pior, Cristo fez o melhor: sofrendo sobre a cruz, realizou nossa redenção; ao morrer em nosso lugar, trouxe-nos vida; ao parecer derrotado, conquistou a maior vitória.

2. Expressiva do triunfo que ele realizou por nós.

Que experiência temos tido de espinhos, de coisas que ferem, machucam?

Uma vez que conquistou a vitória sobre o pecado, a morte e o inferno, Cristo pode tornar-nos triunfantes nele e transformar os espinhos em bênçãos (1Coríntios 15.57).

Condição: Devemos submeter-nos a ele (2Coríntios 2.14).

Ilustração: O triunfo de Paulo na prisão (Filipenses 1.12-14).

Transição: Verdadeiramente, temos motivos para honrar nosso Salvador por ter levado tal coroa por nós.

Conclusão:

1. Resultado abençoado da coroação de Cristo com coroa de espinhos, agora coroa para nós — o NT fala das diversas coroas do cristão: rejeição, justiça, vida incorruptível, glória que não perde a cor.

   Todavia, quando o vemos, desejamos lançar nossa coroa a seus pés, dizendo: "Digno é o Cordeiro que foi morto de receber poder, riqueza, sabedoria, força, honra, glória e louvor!" (Apocalipse 5.12).
2. Por causa do que Cristo suportou por nós, não deveríamos coroá-lo Rei hoje? Que nossa resposta seja de submissão ao seu amor e autoridade. Que nos sujeitemos a ele em tudo.

EXERCÍCIOS

1. Faça uma relação de dez provérbios e escreva em que circunstâncias os usaria em um sermão.
2. Colecione 30 aforismos, ou ditos curtos, e classifique-os corretamente. Ponha cada classificação em folha separada.

3. Descubra 12 afirmativas importantes e fidedignas e mostre como utilizá-las, uma em cada sermão. Cite o autor e a fonte de cada uma.
4. Reconstrua o texto do salmo 23 de modo similar à disposição dada no capítulo 3, sobre Lucas 19.1-10. Sem o auxílio de obras de referência, faça uma relação em folha separada, versículo por versículo ou seção por seção, do que descobrir no salmo que seja digno de nota.
5. Prepare um esboço temático para um culto de ceia, dando título, introdução, proposição, oração interrogativa, oração de transição, divisões principais, subdivisões e transições. Amplie o esboço, usando os artifícios de retórica apresentados neste capítulo, a saber, interpretação, argumentação e citação. Formule as notas do sermão da maneira mais concisa possível.
6. Selecione um texto bíblico e prepare um esboço textual dele para uma mensagem apropriada ao primeiro domingo do ano-novo. Siga as mesmas instruções do exercício 5 na elaboração e no desenvolvimento do esboço.
7. Selecione uma passagem mais ou menos extensa sobre o assunto da oração e prepare um sermão expositivo de desafio à oração. Siga o mesmo método empregado no exercício 5 quanto ao preparo e desenvolvimento do sermão.

10
As ilustrações

DEFINIÇÃO DE ILUSTRAÇÃO

Tem-se dito com frequência que a ilustração é para o sermão o que a janela representa para a casa. Assim como a janela permite a entrada da luz, a boa ilustração possibilita o esclarecimento da mensagem.

A palavra "ilustrar" significa "tornar claro mediante um exemplo ou exemplos". Portanto, ilustração é o meio pelo qual se lança luz sobre o sermão por meio de um exemplo. É a representação de uma cena ou a descrição de uma pessoa ou de um incidente, com o fim de "iluminar", ou seja, esclarecer o conteúdo da mensagem, ajudando o ouvinte a compreender as verdades que o pregador proclama.

A ilustração pode tomar várias formas. Pode ser uma parábola, uma analogia, uma alegoria, uma história (incluindo-se a fábula ou a anedota), o relato de uma experiência pessoal, um acontecimento histórico ou um incidente biográfico. Como mencionamos no capítulo anterior, a ilustração pode também ser inventada ou construída com base na imaginação.

O VALOR DAS ILUSTRAÇÕES

É preciso ressaltar que o componente mais importante do sermão não é a ilustração, mas a explanação do texto. A parte mais importante da mensagem é a interpretação, que deve suportar o peso do sermão. A ilustração, por mais viva ou interessante que seja, tem importância secundária. Mas aquele que recebeu uma mensagem dada por Deus e tem o desejo ardente de torná-la clara ao seu povo fará tudo que estiver ao seu alcance para descobrir e usar ilustrações que tornem o sermão interessante e atraente. Vale a pena, pois, salientar alguns valores das boas ilustrações.

1. As ilustrações dão clareza ao sermão

Por mais que o pregador se esforce por explicá-la, a verdade bíblica é, às vezes, tão profunda que os ouvintes só conseguirão compreendê-la se for apresentada na forma de retrato falado. Isso está precisamente de acordo com a definição de ilustração, que, como observamos, serve para elucidar o significado por meio de um exemplo. Jesus mesmo, a fim de explicar a profunda verdade de nossa união com ele, usou a analogia simples da videira e dos ramos.

2. As ilustrações tornam o sermão interessante

A falha de muitos sermões não está no conteúdo doutrinário, mas no peso ou na monotonia com que a verdade é apresentada. A transmissão da mensagem muitas vezes é árida e desinteressante a ponto de o ouvinte ter dificuldade em prestar a devida atenção. O pregador deve ter em mente que o ouvinte médio só é capaz de manter atenção continuada por tempo limitado; e, a menos que se introduza na mensagem algo interessante e desafiador, a mente dele logo começará a divagar. As boas ilustrações relaxam a mente, despertam a atenção, dão vida à mensagem e preparam o ouvinte para o que será dito em seguida.

Portanto, o pregador deve usar ilustrações de tal modo interessantes que desfaçam de imediato qualquer tendência à desatenção. Ilustrações atraentes e convidativas podem ser colhidas de muitas fontes, e o pregador precisa estar constantemente alerta a exemplos novos e antigos, capazes de tornar seus sermões mais eficazes.

A ilustração seguinte, de um fato que ocorreu no século XIX, tem aplicação oportuna hoje.

> Um renomado pregador cavalgava ao lado de um cocheiro que havia sido um profissional bem-sucedido, mas perdera tudo por causa da bebida. Durante o percurso, depois de falar a respeito de seu problema, o cocheiro pediu ajuda ao ministro. O pregador, então, perguntou: "Amigo, se os cavalos disparassem, mesmo depois de você ter usado todos os meios possíveis para detê-los, o que faria se, de repente, descobrisse estar ao seu lado alguém que soubesse exatamente como controlá-los e salvá-los do desastre?". Sem hesitar, o cocheiro respondeu: "Entregaria a ele as rédeas". O pregador disse-lhe, então, que Jesus estava disposto a tomar o controle de sua vida, contanto que ele lhe entregasse as rédeas.

Histórias a respeito de crianças inocentes, com seus ditos às vezes humorísticos e repletos de interesse humano, são ilustrações que certamente prendem a atenção.

Podemos colher valiosas lições dos gestos ou das falas dos pequeninos, e muitas são as ocasiões de usá-las como ilustração. A experiência de uma professora de uma escola bíblica dominical serve como amostra:

> Dramática e habilmente, a professora contava a história de Abraão e da obediência dele ao preparar-se para sacrificar Isaque, seu filho. Perto do clímax da história, a professora descreveu os detalhes com tanta clareza que uma das crianças implorou nervosamente: "Por favor, não prossiga! Esta história é terrível demais". Nesse momento, uma garotinha, sentada à sua frente, exclamou: "Não seja boba, Maria, é uma das histórias de Deus, e as histórias dele sempre acabam bem!". Essas palavras contêm uma grande verdade, pois Deus sempre faz que tudo dê certo no final para aqueles que pertencem a ele, pois "sabemos que Deus age em todas as coisas para o bem daqueles que o amam".

A surpresa é outro fator que torna a ilustração interessante. O incidente seguinte, ocorrido na vida de D. L. Moody, é um bom exemplo.

> Depois de apresentar um sermão em um culto evangelístico, Moody, ao ser indagado a respeito da reunião, respondeu que duas pessoas e meia tinham-se convertido naquela noite. Surpreso com a resposta, o outro quis saber o que o evangelista pretendia dizer. "Foram salvas duas crianças e um adulto", disse, e a seguir explicou: "Cada uma das crianças tem ainda uma vida toda para oferecer a Cristo, enquanto o adulto já gastou metade da sua e só tem a outra metade para dedicar ao Senhor".

3. As ilustrações dão vida à verdade

A única parte da mensagem que algumas pessoas guardam na lembrança é a ilustração, pois esta fica gravada na mente pela força dos quadros que retrata. Na ilustração, dados complexos ficam claros e fatos monótonos e abstratos são transformados em verdades vivas, permitindo que as pessoas vejam mediante a imagem verbalizada o que de outra forma não compreenderiam com clareza. Por exemplo, o pregador pode falar sobre os males da desonestidade, mas, quando ilustra o assunto com a história da trapaça de Acã e de suas terríveis consequências, registrada no capítulo 7 de Josué, a lição torna-se muito mais clara. É muito importante observar que "Acã" significa "dificuldade", como o próprio nome indica, e que, com seu pecado, trouxe dificuldades para si mesmo, para sua família e para toda a congregação de Israel.

Em vez de uma narrativa bíblica, o pregador pode apresentar uma história como a que segue.

> Conta-se que certa vez um monarca oriental chamou um de seus amigos, que era construtor, e disse-lhe: "Amigo, construa-me uma casa. O que for necessário — trabalhadores, dinheiro, material, tempo, ferramentas —, tudo o que precisar, lhe darei. Vá, construa-me uma casa". Será que alguém já teve uma oportunidade como essa, sem

limite de tempo ou de dinheiro? O construtor estava livre para fazer o que quisesse. Ele poderia ter usado o melhor material disponível e a melhor mão-de-obra. Logo teve início a construção de uma casa que parecia magnífica. O construtor, porém, fez um trabalho medíocre e relaxado. Economizou aqui e ali, usando material barato e de qualidade inferior. Falhou em dar o melhor para a casa do rei. Finalmente, a casa ficou pronta. Tudo o que mostrasse falhas foi, de alguma maneira, encoberto. Chegou o grande dia em que, com pompa e cerimônia, o rei foi ver a nova casa. Terminada a visita de inspeção, o rei voltou-se para o amigo construtor e disse: "Está vendo esta casa? Eu lhe dou de presente. Eis a chave. Ela agora é toda sua".

4. As ilustrações dão ênfase à verdade

Em várias ocasiões, o pregador precisa demonstrar a importância de uma verdade. Ele pode fazê-lo enfatizando seu significado, expressando-a em termos vigorosos ou repetindo-a de outro modo. Ou recorrendo a uma boa ilustração. Ao mostrar um exemplo específico, a ilustração esclarece a lição que o pregador procura ensinar. Com efeito, quanto mais adequadamente verbalizada for a ilustração, tanto maior realce terá a verdade.

Por exemplo, se o mensageiro estiver procurando transmitir a seu povo a importância das reuniões do domingo de manhã e também à noite, a história a seguir, contada por um adolescente, sem dúvida terá peso maior que uma exortação:

> "No domingo passado à noite eu queria ir à igreja. Um amigo meu foi ao cinema e convidou-me para ir com ele. Achei que não devia ir, e fui à igreja. Procurei meu professor de escola dominical. Mas ele não estava lá. Esperava ver dois diáconos, aos quais respeito muito, mas não se encontravam. Procurei também pela professora de escola dominical de minha mãe, que nos visitou um dia, mas também ela não estava lá. Minha impressão é que eles não acham realmente importante ir à igreja no domingo."

A seguinte história, se contada durante uma mensagem sobre temperança, é também muito mais eficaz que mil palavras de admoestação ou de alerta a respeito dos males da bebida.

> Quatro jovens morreram em um acidente automobilístico causado por bebida alcoólica. O pai de uma das vítimas, ao receber a notícia da morte da filha, sob o choque da dor, exclamou: "Vou matar o dono do bar que vendeu a bebida". Indo, porém, ao seu próprio armário onde guardava bebidas, encontrou um bilhete escrito pela filha que dizia: "Papai, levamos um pouco de bebida. Estamos certos de que o senhor não vai se importar".

PRINCÍPIOS A OBSERVAR NO USO DAS ILUSTRAÇÕES

1. Usar ilustrações apropriadas

De acordo com a etimologia da palavra, a ilustração elucida, esclarece. Se não leva a uma melhor compreensão do ponto apresentado, ou se a própria ilustração não é clara, é melhor omiti-la. De outra forma, a ilustração tenderá a desviar a atenção do auditório. Uma ilustração apropriada, porém, introduzida no momento oportuno e contada de maneira correta, é um meio muitíssimo eficaz de esclarecer um texto ou uma verdade e criar interesse. Se, por exemplo, o pregador está falando da suficiência da graça de Deus para o perdão dos pecados, ele pode citar 2Coríntios 5.20,21 e Efésios 1.7. Seria muito oportuno, então, apresentar uma ilustração como esta:

> Um incrédulo, zombando de um ministro que fora visitar um moribundo de péssima reputação, perguntou-lhe: "Uma hora de arrependimento pode expiar toda uma vida de pecado?". "Não", respondeu o homem de Deus, "mas o sangue de Jesus Cristo pode".

2. Usar ilustrações claras

Como foi dito anteriormente, o significado básico da palavra "ilustrar" é tornar claro ou óbvio. Uma história, ou incidente, contada durante o sermão, com o objetivo de aumentar o entendimento de alguma verdade, perde seu propósito se não explicar nem esclarecer. Em tais circunstâncias, embora a ilustração seja importante ou interessante, deve ser omitida. Mas um exemplo claro, bem escolhido e que contribui para a compreensão da verdade pode aumentar muito o valor da mensagem.

> No dia 25 de janeiro de 1981, apareceu uma breve notícia nos jornais dos Estados Unidos. Simplesmente afirmava que o Instituto de Linguística de Verão havia rejeitado as exigências de guerrilheiros colombianos que ameaçavam assassinar o missionário Chester Bitterman, a quem haviam sequestrado, se o Instituto não pusesse fim à operação colombiana até o dia 9 de fevereiro. Logo depois de aparecer essa notícia nos jornais, Bernie May, diretor dos tradutores da Bíblia Wycliffe nos Estados Unidos, conclamou o povo à oração, usando aproximadamente estas palavras: "A organização Wycliffe tem por praxe não pagar resgate. É parte do risco (que não é senão outra palavra para designar a fé) que corremos. Confiamos que Deus fará que tudo coopere para o bem [...]. Chester sabia que, ao unir-se à organização Wycliffe, corria esse risco. Mas seguir a Cristo é arriscado — para todos nós. A pessoa que segue ao Senhor a vida toda invariavelmente chegará à sombra da cruz. É inevitável. Mas a promessa de uma colheita de justiça também é inevitável. Por isso, peço-lhes que se unam a mim em oração pela família Bitterman. Peço também que reexaminem sua própria dedicação a Cristo. É imprescindível que, no trajeto do Getsêmani ao Calvário, saibamos quem somos e onde pisamos quando as tochas se acenderem no jardim à meia-noite".
>
> Algumas semanas depois desse apelo ao mundo cristão, Chester Bitterman foi morto a tiros pelos sequestradores.

Se um dos objetivos de nossa mensagem for desafiar o povo a consagrar-se a Cristo, certamente um acontecimento como esse será um apelo claro a um compromisso com o Senhor.

3. Usar ilustrações críveis

Ilustrações exageradas só trarão descrédito ao ministério e levarão o povo a supor que o pregador é ingênuo a ponto de acreditar no que não é digno de fé. Ainda que a narrativa de um acontecimento reproduza a realidade, mas por algum motivo pareça inacreditável, o pregador deve evitar empregá-la no sermão. A ilustração, para ter valor, deve ser fiel à realidade. Deve conter todas as marcas da verdade.

Às vezes, pode-se usar como ilustração um fato que pareça incrível, particularmente quando tem origem na ciência ou na história natural, desde que o pregador consiga apresentar provas suficientes de sua exatidão.

4. Usar ilustrações exatas

A ilustração que vale a pena ser apresentada merece ser bem transmitida. Em geral, não deve ser lida. Como o sermão, a ilustração lida perde força. Portanto, ao recorrer a uma ilustração, o pregador deve conhecer muito bem seus detalhes, a ponto de relatá-los de memória e com exatidão. Se ele se esquecer de um detalhe ou omitir uma ou duas partes essenciais, pode arruinar a apresentação.

Há casos, contudo, em que a ilustração contém tantos detalhes que o pregador não consegue lembrar-se de todos. Observe este exemplo apresentado por M. R. DeHaan, que desistiu da carreira de médico a fim de entrar para o ministério.

> Que potencialidades se encontram em nosso corpo! Se você é uma pessoa de tamanho médio, realiza a cada 24 horas as seguintes funções: seu coração bate 103.689 vezes; o sangue percorre 270.144.000 quilômetros. Você respira 23.040 vezes; inspira 12,50 metros cúbicos de ar. Você come cerca de 2 quilos de alimento e bebe 1,5 litro de líquidos; transpira cerca de 1 litro de suor; o corpo mantém uma temperatura constante de cerca de 37 graus em todas as condições atmosféricas. Você gera 450 toneladas de energia; profere 4.800 palavras (os homens),

movimenta mais de 700 músculos, usa 7.000.000 de células cerebrais e caminha 11 quilômetros (só as mulheres, em casa — os homens vão de carro). E esse corpo pertence a Deus. E que parte dessa atividade é dedicada ao Senhor? Certamente esse corpo maravilhosamente criado deve ser dedicado ao seu maravilhoso Criador. Faça dele um presente a Deus hoje.

A exatidão também requer que se apresente a ilustração com fidelidade. A honestidade é absolutamente essencial. Não se deve fazer nenhuma afirmativa falsa ou irreal (com a única exceção explicada no cap. 9 sobre "imaginação"). Não se deve distorcer os fatos nem exagerá-los. O pregador que faz declarações falsas logo arruinará seu ministério, e a congregação passará a não confiar nele.

5. *Usar ilustrações breves*

A ilustração não deve ter tanto destaque que roube o poder da mensagem. Afinal de contas, a finalidade principal da ilustração é esclarecer. Portanto, não devem ser longas. Com efeito, alguns retratos falados são mais eficazes quando apresentados concisamente. Mas, se for necessário usar uma ilustração longa em determinada parte do sermão, é aconselhável condensar ao máximo outras ilustrações na mesma mensagem.

6. *Ter discernimento na seleção das ilustrações*

Não se deve usar ilustrações indiscriminadamente. O bizarro e o grotesco não têm lugar na pregação. Do contrário, o pregador se exporá à acusação de frivolidade, vulgaridade ou irreverência — faltas que jamais devem ser imputadas ao mensageiro do evangelho.

Devemos ter cuidado não só quanto ao caráter das ilustrações, mas também quanto ao seu número, em qualquer mensagem. O mensageiro que usa ilustrações demais pode ser chamado de "contador de histórias". Se o objetivo principal do pregador for pregar a Palavra, ele introduzirá ilustrações somente para tornar o texto mais inteligível e proporcionar melhor compreensão da verdade.

Quanto à proporção das ilustrações empregadas no corpo do sermão, em geral é suficiente uma ilustração em cada divisão principal. Às vezes, convém usar mais de um exemplo em um dos pontos principais, mas, se todas as ilustrações de um sermão de três ou quatro divisões principais se concentrarem, digamos, na primeira divisão principal, teremos aí, é claro, um uso desproporcional.

Além de escolher criteriosamente as ilustrações, o pregador deve certificar-se também de que sejam empregadas com variedade. Como sugerimos em capítulo anterior, deve haver diversidade nos tipos e nas fontes de ilustrações. Esse cuidado evita a monotonia e as torna eficazes.

COLETANDO ILUSTRAÇÕES

O bom mensageiro sabe quão imprudente é repetir as ilustrações para o mesmo auditório, a não ser em raras circunstâncias. A fim de evitar isso, é necessário produzir constantemente novas ilustrações. Mas ilustrações oportunas e interessantes não são fáceis de encontrar. Em vez de procurar nos livros, o melhor é ir colecionando material com algum valor, que possa ser usado em sermões futuros. Por exemplo, a história seguinte foi encontrada na última página do boletim informativo de uma igreja.

> Um homem, viajando por um país estranho, descobriu que seu destino encontrava-se no fim de uma trilha montanhosa e difícil. A viagem era perigosa, e ele precisava de um bom guia para chegar a salvo.
>
> Um guia ofereceu-se para levar o homem. Antes de contratá-lo, o viajante perguntou:
>
> — Você já esteve na aldeia para onde vou?
>
> O guia respondeu:
>
> — Não, mas já fui até a metade do caminho e já ouvi muitos amigos descreverem o restante do percurso.
>
> — Bem — respondeu o viajante —, você não serve para ser meu guia.
>
> O viajante encontrou outro e de novo fez a pergunta:

— Você já foi à aldeia a que me dirijo?

Esse guia respondeu:

— Não, mas já vi a aldeia do topo de uma montanha.

— Você não serve para ser meu guia — respondeu o homem.

Um terceiro ofereceu seus préstimos ao viajante, e este lhe fez a mesma pergunta dirigida aos dois anteriores.

— Senhor — respondeu o terceiro guia —, eu moro nessa aldeia.

Jesus disse: "Eu sou o caminho, a verdade e a vida. Ninguém vem ao Pai, a não ser por mim".

Às vezes, em um momento de iluminação, ocorre uma ideia admirável à mente do pregador. Se ele não a anotar imediatamente, poderá perdê-la para sempre. A leitura diária do mensageiro, suas visitas cotidianas, seus contatos com as pessoas e o estudo pessoal das Escrituras sugerirão ilustrações eficazes. Com o passar do tempo, a pessoa adquire uma atitude constante de alerta, de tal modo que as ideias importantes quase se chocam com ele, vindas de todos os lados. Se ele preservar esse material de modo metódico, possuirá uma valiosa reserva da qual poderá servir-se toda vez que precisar de uma ilustração apropriada.

Para que essa coleção de material esteja prontamente disponível, o pregador deve possuir um sistema de arquivo simples, mas adequado. Um método prático e eficaz de arquivar requer dois conjuntos de classificadores. Um deles será o arquivo textual, que consistirá em uma série de classificadores dispostos de acordo com a ordem dos livros da Bíblia — um classificador para cada livro. O outro conjunto será um arquivo temático, e consistirá em uma série de classificadores por temas — um para cada tema. A seguir, uma relação de temas para o arquivo.

Aborto
Adolescência
Adventismo
Amor
Ano-novo
Apologética
Arqueologia
Batismo

Bíblia, Palavra de Deus
Casamento
Catolicismo romano
Ceia do Senhor
Céu
Comunismo
Consagração
Consolo
Conversão
Cristo, milagres de
Cristo, nascimento virginal de
Cristo, pessoa de
Cristo, pureza de
Cristo, ressurreição e ascensão de
Cristo, sangue de
Cristo, segunda vinda de
Culto
Denominações
Deus
Dízimo
Domingo
Educação
Escola dominical
Espírito Santo
Ética
Evangelização
Evolução
Existencialismo
Expiação
Falar em público
Fé — confiança — crença
Funerais
Geografia bíblica
Graças cristãs
Hinologia
Homilética
Humanismo
Humildade
Igreja — cristãos
Igreja — história
Igreja — supervisão
Inferno
Israel e judeus
Juventude
Lar
Lei
Louvor
Missões
Modernismo
Mordomia
Mormonismo
Morte
Mundanismo
Natal
Nova ortodoxia
Oração
Páscoa
Pecado
Profecia
Psicologia
Reavivamento
Redenção
Religiões
Salvação
Santificação
Satanás
Segurança eterna
Seitas
Temperança
Testemunhas de Jeová

EXERCÍCIOS

1. Escreva que tipo de ilustração você usaria para os textos seguintes:
   (1) "O salário do pecado é a morte" (Romanos 6.23).
   (2) "É necessário que ele cresça e que eu diminua" (João 3.30).
   (3) "Guia-me nas veredas da justiça por amor do seu nome" (Salmos 23.3).
   (4) "Abençoem aqueles que os perseguem" (Romanos 12.14).
   (5) "Eu sou o seu escudo; grande será a sua recompensa!" (Gênesis 15.1).
   (6) "Bem-aventurados os puros de coração, pois verão a Deus" (Mateus 5.8).
   (7) "Busquem o SENHOR enquanto é possível achá-lo; clamem por ele enquanto está perto" (Isaías 55.6).

2. Recorrendo à sua imaginação, crie uma ilustração para os seguintes assuntos:
   (1) Um vaso para honra
   (2) Um filho obediente
   (3) Um culto idólatra
   (4) Diligência no estudo
   (5) Um escravo perante seu senhor
   (6) Desapontamento
   (7) Clamor persistente

3. Procure dois exemplos bíblicos que ilustrem as seguintes situações ou atitudes:
   (1) Uma manifestação de mansidão
   (2) Uma ação precipitada
   (3) Alegria na tribulação
   (4) Uma atitude de ódio
   (5) Um servo fiel
   (6) Uma mulher diligente no serviço ao próximo
   (7) Uma expressão de amabilidade
   (8) Uma atitude egoísta

(9) Um espírito de perdão
(10) Uma promessa errada
(11) O amor ao dinheiro
(12) Resistência à tentação
(13) Um ato de covardia
(14) A loucura do mundanismo

4. Narre duas ilustrações tiradas da Bíblia e duas extraídas de fonte secular, mostrando que a justiça divina pode tardar, mas nunca falha.
5. Dê quatro ilustrações — duas bíblicas e duas seculares — para as seguintes ocasiões:
   (1) Um culto de ceia
   (2) Um culto de Páscoa
   (3) Um culto de Natal
   (4) Uma reunião missionária
   (5) Um culto evangelístico
6. Selecione três esboços temáticos do capítulo 1 e prepare duas ilustrações para cada um.
7. Se você ainda não tem fichário, adquira um e comece a organizar um sistema de arquivo. Prepare dois conjuntos de arquivos — um temático e outro textual —, como sugerido neste capítulo, e comece a colher material para uso futuro.
8. As seguintes histórias foram extraídas de jornais. Mostre o modo de usá-las como material ilustrativo.

O diário da cidade de Milwaukee, estado de Wisconsin, no dia 10 de agosto de 1965, relatou a prisão de 11 meninos de 12 a 17 anos de idade, que faziam parte de um grupo de assaltantes acusados de roubar grande quantidade de objetos valiosos de casas e garagens na região noroeste de Milwaukee. Com exceção de um, os meninos vinham de "boas famílias", e pelo menos dois eram jornaleiros. Suas vítimas estavam de férias, e eles arrombavam as casas de manhã, logo cedo. Segundo a polícia, os meninos roubavam tudo o que podiam carregar. Levaram até uma coleção de moedas no valor de 1.200 dólares, mas, quando foram presos, os rapazes já haviam comprado guloseimas com algumas das moedas.

No dia 13 de agosto de 1965, apareceu um artigo no diário de Milwaukee referente ao desastre ocorrido no depósito de míssil Titan 2, em Searcy, no estado de Arkansas, no qual cerca de 50 homens perderam a vida durante a explosão e no incêndio que se seguiu a ela no depósito subterrâneo. O artigo afirmava que o secretário da Força Aérea informou ao presidente dos Estados Unidos que algumas das vítimas podem ter perdido a vida porque uma das escadas de incêndio foi bloqueada de modo muito estranho. Parece que, em uma tentativa desesperada de escapar, dois homens se espremeram em uma área estreita da escada, bloqueando assim a única saída para os outros que tentavam segui-los.

9. Leia o jornal diário local de cinco dias sucessivos e selecione dois artigos úteis como material ilustrativo. Arquive esses artigos no lugar apropriado.

11
A aplicação

DEFINIÇÃO DE APLICAÇÃO

A aplicação é um dos elementos mais importantes do sermão. Mediante esse processo, apresentamos ao ouvinte as reivindicações da Palavra de Deus, a fim de obter sua reação favorável à mensagem. Quando adequadamente empregada, a aplicação mostra a adequação dos ensinos da Bíblia à vida diária das pessoas, tornando aplicáveis a elas as mensagens da revelação cristã. O tipo de reação que buscamos depende, contudo, do propósito da mensagem. Em um caso, a reação desejada pode ser uma mudança de atitude; em outro, uma decisão para agir; em outro, ainda, a simples aceitação da verdade que o pregador declara.

A aplicação muitas vezes é descrita nos livros de homilética como o processo mediante o qual o pregador busca persuadir os ouvintes a reagir à verdade revelada por Deus. Essa definição contém um perigo sutil. O mensageiro, ao presumir que as verdades de seu sermão se aplicam somente ao seu auditório, corre o risco de colocar-se em um pedestal. Ele pode dar a impressão de estar pregando contra seus ouvintes. Se estes chegarem a essa conclusão, poderão predispor-se contra o pregador.

É muito melhor o mensageiro aplicar as verdades da mensagem a si e ao povo ao mesmo tempo. Ele deve deixar claro que também pode precisar de admoestações, reprovação ou exortação. Essa atitude fará que os ouvintes considerem o mensageiro semelhante a eles, com necessidades espirituais, fraquezas humanas e paixões semelhantes às deles.

Portanto,

> definimos a aplicação como o processo retórico mediante o qual se aplica direta e pessoalmente a verdade ao indivíduo, a fim de persuadi-lo a reagir de modo favorável.

Essa definição abrange tanto o pregador quanto os ouvintes.

O MOMENTO DA APLICAÇÃO

A hora de fazer a aplicação deve ser determinada pelo conteúdo da mensagem. Em geral, faz-se a aplicação depois da apresentação de cada verdade espiritual. Isso significa entremear o apelo em todo o sermão e aplicar as verdades durante o desenvolvimento da discussão.

Ocasiões há, porém, em que é aconselhável fazer a aplicação no final de cada subdivisão ou no fim de cada divisão principal. No entanto, há momentos em que a aplicação pode vir antes dos outros processos retóricos, a saber: antes da argumentação, da citação e da ilustração, mas raramente deve preceder a explanação.

Em alguns casos, é melhor omitir o apelo do corpo do sermão e deixar o impacto pessoal para o fim da apresentação. Esse procedimento é especialmente válido com referência ao argumento lógico, no qual cada parte está incompleta até sua apresentação total. Inserir algum tipo de aplicação muito cedo prejudicará a discussão e enfraquecerá o ponto culminante do argumento. Os sermões evangelísticos, em geral, pertencem a essa categoria.

No sermão expositivo, que exige muita exegese, se as verdades expostas não forem aplicadas à medida que a mensagem progride, haverá a tendência de o discurso tornar-se, para uma parcela dos ouvintes, pesado e difícil de acompanhar. É melhor, portanto, aplicar as verdades durante o desenvolvimento do sermão, ponto por ponto.

Outro fator ao qual devemos estar atentos é o tempo dedicado à aplicação. Como já mencionamos, o principiante muitas vezes é tentado a dedicar tempo demasiado ao reforço da verdade, esquecendo-se de que sua responsabilidade principal é interpretar a Palavra de Deus claramente, de modo que todos a compreendam. Às vezes, as lições tiradas da Escritura são tão óbvias que a aplicação formal se torna desnecessária. O pregador precisa atingir um meio-termo. Contudo, sempre que for necessária a aplicação prática, não deve deixar de fazê-la.

REQUISITOS INDISPENSÁVEIS À APLICAÇÃO EFICAZ

Embora elucidem claramente o texto e transmitam à congregação uma interpretação nítida, ainda assim alguns mensageiros jamais percebem a necessidade de relacionar a verdade com o povo. É dever do pregador ligar as passagens bíblicas às pessoas de forma tal que elas percebam como as verdades se aplicam à sua vida. Para que o pregador possa relacionar as verdades da revelação divina às necessidades, às faltas e aos problemas do povo, ele precisa ter alguns requisitos indispensáveis.

Examinemos, pois, os seis requisitos principais para uma aplicação eficaz.

1. É de suma importância que o pregador viva em comunhão com Deus

A pregação que emociona e desperta a consciência não se baseia no intelectualismo frio, mas na comunhão íntima e contínua com Deus. À semelhança do apóstolo João, o pregador deve achegar-se ao coração de Jesus para conseguir irradiar o brilho e o calor dele por meio da própria personalidade.

Entretanto, em nossa época, trabalhosa e seletiva, em que o mensageiro se encontra sob a pressão de obrigações múltiplas, é muito difícil achar tempo para alimentar a própria alma. Os jovens alunos, assim como todos nós, devem dar atenção ao conselho de Handley C. G. Moule:

> Cuidem-se para que preocupação alguma com os assuntos pastorais os faça esquecer a necessidade suprema de retirar da plenitude de Cristo e dos tesouros de sua Palavra alimento para a alma e para a própria vida, como se estas, alma e vida, fossem as únicas existentes.

É na quietude do encontro do pregador com Deus que o Senhor o modela, transformando-lhe gradualmente o caráter para conformá-lo à imagem do Mestre. Como escreveu o apóstolo Paulo: "E todos nós, que com a face descoberta contemplamos a glória do Senhor, segundo a sua imagem estamos sendo transformados com glória cada vez maior, a qual vem do Senhor, que é o Espírito" (2Coríntios 3.18). A comunhão íntima com Cristo também desenvolverá uma atitude gentil, agradável e sadia do pregador para com o povo. O objetivo de seu ministério não será dirigi-los como a um bando de animais, mas liderá-los e edificá-los "até que todos alcancemos a unidade da fé e do conhecimento do Filho de Deus, e cheguemos à maturidade, atingindo a medida da plenitude de Cristo" (Efésios 4.13).

Não há substituto para a vida e o caráter santos. Pregar a verdade, mas falhar em vivê-la, jamais causará boa impressão a ninguém. Mas a vida santa, manifestada em amor interessado pelos outros, é o melhor sermão que o pregador pode apresentar. É por isso que Paulo admoesta Timóteo: "Ninguém o despreze pelo fato de você ser jovem, mas seja um exemplo para os fiéis na palavra, no procedimento, no amor, na fé e na pureza" (1Timóteo 4.12). A vida exemplar não é resultado de desejos e sonhos, nem é produto de uma semana, um mês ou um ano de esforço. A vida santa e o caráter santo só acontecem mediante um longo processo de aplicação assídua das leis do crescimento espiritual e do cultivo diligente da comunhão diária com Cristo. Não importa o preço, o mensageiro que aplica as Escrituras às necessidades do momento presente deve disciplinar-se a fim de reservar tempo para esse exercício santo. Somente assim, ele poderá falar do Senhor, no Senhor e pelo Senhor e poderá trabalhar com eficiência no alívio das necessidades espirituais dos ouvintes.

2. Para ter êxito em relacionar a Bíblia com o momento atual, o homem de Deus deve ter boa educação formal

É essencial que o ministro tenha bom preparo acadêmico e conhecimento tanto das Escrituras quanto de assuntos humanos. Deve possuir uma base sólida de conhecimentos gerais e uma compreensão completa das Escrituras e das doutrinas. Deve não apenas receber bom preparo escolar, mas também manter-se em dia com os acontecimentos em curso. Ele precisa ler muito, livros seculares e religiosos. Deve ainda estar a par das tendências e dos movimentos teológicos correntes e de outros movimentos que afetem a vida e o serviço dos membros de sua igreja. Além disso, precisa estar sempre atento ao pensamento do cidadão comum, conforme expresso e refletido nos periódicos e nos jornais diários.

Se o mensageiro quiser aplicar a verdade eficazmente à sua congregação, compete-lhe ser um estudioso diligente da Palavra de Deus. Não basta ter fé piedosa, preparo acadêmico sadio e bíblico e bom conhecimento de homilética. Se depender somente disso, o mensageiro de Deus não conseguirá manter um ministério de pregação bom e eficaz. Uma de suas funções principais é conhecer as Escrituras cada vez melhor, para que consiga transmiti-las ao povo. Só poderá realizar isso mediante esforço concentrado, meditação prolongada e aplicação constante. À semelhança de Esdras, ele deve estar decidido a conhecer os oráculos sagrados e não permitir que nada tenha precedência sobre suas horas de estudo.

3. Para aplicar a verdade eficazmente, o pregador deve compreender a natureza humana

Sempre que alguém se dirige a uma congregação, defronta com um grupo de pessoas com problemas espirituais, emocionais e pessoais. Essas pessoas também se encontram em diferentes estados de maturidade espiritual e emocional, bem como em diversas fases de desenvolvimento físico e intelectual.

É de extrema importância que o pregador compreenda a natureza humana, com suas complexidades. Se ele quer ter êxito em convencer o povo, precisa saber como persuadir as pessoas mediante a compreensão de suas variadas disposições, atitudes, ideais e interesses. Além disso, que seja bom observador dos instintos básicos humanos e de como refletem no comportamento das pessoas. E, ainda mais, precisa ter a capacidade de reconhecer as características gerais da maturidade. É claro, o próprio pregador tem de possuir uma personalidade equilibrada e íntegra.

O mensageiro também deve entender as necessidades das diferentes faixas etárias — das crianças, dos adolescentes, dos jovens, dos solteiros, dos casais jovens, dos pais e dos idosos. É, pois, aconselhável fazer um curso de psicologia para se informar melhor das necessidades humanas e dos padrões de comportamento dos diferentes grupos etários.

4. Para relacionar as verdades bíblicas com os problemas e situações dos membros da congregação, é necessário que o mensageiro tenha conhecimento das condições e interesses deles

Paulo podia dizer aos cristãos de Filipos: "[...] os tenho em meu coração" (Filipenses 1.7). Assim, com essa atitude, suas cartas manifestam o espírito de quem tinha vital interesse por eles. O servo do Senhor, ao ministrar a Palavra, tem de mostrar interesse semelhante pela igreja. E, ao visitar os membros, logo descobrirá as circunstâncias e condições que enfrentam.

O mensageiro de Deus sincero e dedicado, que se mantém em contato com as dificuldades e os problemas humanos e, ao mesmo tempo, vive em comunhão íntima com Deus, poderá discernir nas Escrituras as verdades importantes para o povo que procura ajudar.

A capacidade de descobrir esses relacionamentos vitais entre as necessidades do povo e a Bíblia aumentará à medida que crescerem as observações e o conhecimento do pregador com relação à natureza humana. Com efeito, se ele planejar sábia e piedosamente suas visitas, em cada uma delas descobrirá as alegrias e as tristezas, as esperanças e os temores, os sucessos e os fracassos do povo. Tudo isso o ajudará na tarefa de procurar nas Escrituras as mensagens e as verdades aplicáveis às diversas situações dos membros da igreja.

5. Para comunicar as Escrituras com eficácia, o mensageiro deve falar com naturalidade

Não é nosso propósito neste livro tratar da transmissão do sermão, mas, uma vez que muito depende da maneira em que ele é apresentado, bem como de seu conteúdo, devemos estar especialmente atentos à comunicação oral.

Por causa da pressão dos deveres diários e do zelo em proclamar a verdade divina, pode acontecer de o pregador não ter consciência da tensão sob a qual trabalha. Os efeitos dessa pressão contínua às vezes surgem quando ele se encontra no púlpito. Como não está em sua melhor forma para falar de modo descontraído e agradável, o pregador pode tornar-se tenso e agitado. Nesse caso, a tendência é falar alto demais ou dar ênfase exagerada, e a pregação pode parecer forçada.

Ao falar dessa maneira, o mensageiro do evangelho estará inconscientemente forçando a si mesmo na transmissão do sermão. Ao mesmo tempo, será difícil para os ouvintes prestar atenção nele, não importa quão correta e importante seja a mensagem.

Charles H. Spurgeon declarou que "a perfeição da pregação encontra-se no falar". Ele queria dizer que a maneira mais eficaz de pregar é mediante um tom de conversação normal, com a naturalidade com que falaria se estivesse conversando com uma única pessoa.

Quando o pregador transmite a mensagem de modo natural, ele não apenas se sente à vontade, mas também fica mais fácil para o auditório prestar atenção. Tal estilo de entrega também deixará o pregador livre da tendência a um desempenho formal ou artificial. Ele deve lembrar-se de que a congregação sempre preferirá ouvir alguém que se apresente naturalmente.

No entanto, isso não quer dizer que a pregação deva ser destituída de animação. Pelo contrário, a alegria de partilhar a Palavra de Deus, particularmente as mensagens que inspiram o povo, deve proporcionar o estímulo de que o pregador necessita para falar com entusiasmo. Com efeito, o entusiasmo e a sinceridade na apresentação do sermão, assim como a expressão do rosto e dos olhos, demostrarão aos ouvintes que ele já experimentou a verdade que procura transmitir-lhes. Pois, em última instância, não existe eloquência maior que aquela que flui do amor e da sinceridade.

6. Finalmente, para obter a reação correta à mensagem, o mensageiro deve depender inteiramente da ação do Espírito de Deus

Depois de tudo o que dissemos a respeito da aplicação, é preciso reconhecer que, em última análise, a persuasão é obra da terceira pessoa da Trindade. O mensageiro pode pregar a Palavra com toda a fidelidade, fazer o apelo com o maior fervor ou admoestar com a mais profunda convicção. Mas, se o Espírito Santo não inspirar a mensagem e não vivificar os corações, o sermão em si nada realizará. Só o Espírito da verdade consegue despertar a consciência, mover a vontade, santificar a alma, gravar a lei de Deus no coração e imprimir a imagem divina no caráter. Até Jesus dependeu do Espírito de Deus para lhe dar poder enquanto viveu, pois, ao iniciar seu ministério, afirmou: "O Espírito do Senhor está sobre mim, porque ele me ungiu para [...] proclamar o ano da graça do Senhor" (Lucas 4.18,19). É, pois, absolutamente necessário que o mensageiro de Deus seja controlado pelo Espírito Santo, de modo que, ao colocar-se diante do público para proclamar a Palavra de Deus, o próprio Espírito conceda poder a cada palavra e aja eficazmente no coração dos ouvintes.

A pregação induzida pelo Espírito em geral está associada à oração fervorosa. Os apóstolos disseram que se dedicariam à oração e ao ministério da Palavra, e o livro de Atos é o registro inspirado do que o Espírito Santo realizou mediante esses homens de oração.

Antes do grande reavivamento ocorrido na Nova Inglaterra, na primavera de 1735, Jonathan Edwards dedicou três dias e três noites à súplica fervorosa. Caminhando pelo quarto, ele implorava constantemente a Deus: "Dá-me a Nova Inglaterra! Dá-me a Nova Inglaterra!". Na manhã do domingo seguinte, enquanto lia o sermão intitulado "Pecadores nas mãos de um Deus irado", o Espírito de Deus desceu com poder sobre a congregação. Homens e mulheres ficaram tão profundamente convencidos do pecado que se agarravam aos bancos e às colunas do santuário, com medo de ser lançados no inferno naquele mesmo instante. Realizou-se naquele dia um grande retorno para Deus, e o reavivamento, iniciado naquela igreja, rapidamente se espalhou por toda a Nova Inglaterra.

Tiago 5.16 afirma: "A oração de um justo é poderosa e eficaz". Certamente, esta é a necessidade atualmente: apóstolos modernos, com as mesmas deficiências dos antigos, mas que, como eles, sejam homens de oração. Há necessidade de homens de Deus que, intimamente, inspirem-se no poder divino, de tal forma que a Palavra divina, quando proferida por eles, saia ungida e vivificada pelo poder do Espírito Santo.

PRINCÍPIOS PARA A APLICAÇÃO DA VERDADE

1. Relacione o sermão aos problemas e necessidades humanos

Já salientamos que o pregador, se quiser ter êxito na aplicação da verdade, tem de compreender a natureza humana e o padrão de comportamento das várias classes de indivíduos. Na comunicação da Palavra de Deus, é necessário não somente ter sensibilidade para com os problemas e necessidades fundamentais das pessoas, mas também saber relacionar o sermão com as perplexidades e tentações que as assaltam diariamente. O mensageiro deve descobrir como o texto se aplica às condições do povo a que se dirige.

Para ajudar a descobrir a relação das Escrituras com as necessidades humanas, sugerimos ao pregador principiante que faça uma lista de traços humanos característicos e padrões de comportamento e tente encontrar textos e exemplos bíblicos que tratem deles. Com o auxílio de uma boa concordância, o aluno logo descobrirá na revelação divina farto material sobre problemas emocionais básicos, como sentimento de culpa, frustração, solidão, medo, ódio, ira, ciúme etc.; e, quanto mais ele aprender do relacionamento entre a Escritura e as necessidades humanas, mais poderá assisti-los corretamente.

Já afirmamos neste capítulo que o pregador tem a obrigação de tomar conhecimento das situações diárias vividas pelos membros da congregação e de compreender seu modo de pensar. Se o pregador deseja relacionar o sermão com seus ouvintes, é preciso recorrer a material capaz de produzir uma reação imediata no coração deles. Esse material tem de ser apropriado às situações vividas pelo povo.

2. Use a imaginação para dar vida às cenas e às personagens bíblicas

Como vimos em capítulo anterior, a imaginação pode desempenhar papel importantíssimo no sermão. Isso se verifica particularmente na aplicação da verdade. Mas devemos sempre ter o cuidado de usá-la judiciosamente, a fim de não apresentar imagens ou histórias exageradas, inadequadas ou de mau gosto.

Observe na ilustração a seguir — que tem a finalidade de relacionar a Palavra de Deus com os problemas e necessidades dos membros da congregação — o uso da imaginação em comentário acerca de duas personagens bíblicas.

Suponha que estivéssemos pregando sobre Gênesis 45.1-15 e tivéssemos acabado de expor os versículos 4 a 8, estando agora prontos para fazer a aplicação. Podemos, então, prosseguir da seguinte forma:

> Que maravilhoso espírito de perdão teve José para com os irmãos! Pensem nos anos de angústia mental e física que ele passou, tudo por causa da maldade e do ódio dos irmãos e, contudo, não proferiu nem uma palavra sequer de vingança ou crueldade, tampouco guardou rancor ou mágoa deles. Pelo contrário, José mostrou apenas bondade e boa vontade para com aqueles que o haviam maltratado tão profundamente. É verdade

que nenhum de nós foi tão injustiçado como José nem passou por situação semelhante à dele. Alguém já nos perdoou tanto quanto José perdoou seus irmãos? Se somos cristãos, podemos realmente dizer: "Em Cristo, Deus perdoou" todas as coisas. Qual, pois, deve ser nossa atitude para com o irmão que nos tenha maltratado? Não resta dúvida. O motivo por que Deus transformou em bem todo o mal na vida de José é o fato de ele ja-mais ter guardado rancor ou mágoa dos responsáveis por tantos infortúnios. E o Senhor certamente transformará em bem todo o mal que possa nos advir da injustiça ou da falta de amabilidade dos outros, se nós, à semelhança de José, mantivermos um espírito benevolente e tolerante para com aqueles que nos prejudicam.

Como segundo exemplo, escolhemos Hebreus 11.24-27. Nesses versículos, descobrimos como Moisés, no Egito, foi tentado por três engodos: honra, riquezas e prazeres. Mas ele percebeu que, para ser um homem de Deus, tinha de voltar as costas a todos eles. Vamos presumir que o texto já foi exposto e mostrado como cada uma dessas tentações foi apresentada a Moisés a fim de seduzi-lo. Agora, fazemos a aplicação:

> Vejam bem, nenhuma das três "armadilhas" apresentadas a Moisés era errada em si mesma. Deus quer que desfrutemos o respeito de nossos companheiros, que usemos os talentos para nosso benefício neste mundo e que reservemos tempo para recreação e prazer. Mas quando uma dessas condições, perfeitas e legítimas em si mesmas, impede nossa inteira dedicação a Deus, ela se converte em mal. Avaliando as trivialidades passageiras do mundo em face da recompensa futura, Moisés tomou uma decisão. O melhor que o mundo pudesse oferecer-lhe era insignificante em comparação com o privilégio de andar com Deus e pertencer a ele. Moisés viu que Deus queria dele não o patrocínio, mas sua comunhão. Muitos cristãos só dão a Deus a preferência — estão dispostos a contribuir para a igreja, a apoiar missões e missionários e a ocupar algum cargo na obra do Senhor. O que Deus deseja não é

patrocínio — ele pode muito bem passar sem ele —; ele quer a nós. Ele deseja a nós por inteiro — mente, coração e alma. Ele deseja comunhão conosco; mas, como escreveu o apóstolo Paulo, deve ser "a participação em seus sofrimentos".

3. Empregue ilustrações que mostrem como a verdade pode ser aplicada à vida do povo nas lutas diárias

O mensageiro da Palavra prega a homens, mulheres, rapazes e moças que enfrentam as realidades do dia a dia. Encaram pressões, frustrações, tentações, problemas e dores emocionais e precisam ver como a Bíblia exerce influência prática sobre suas atividades mediante ilustrações tiradas não só do texto bíblico, mas também das situações da vida.

As ilustrações, pois, tiradas do cotidiano e usadas corretamente, podem exercer grande influência na vida dos ouvintes.

Observe o seguinte incidente, extraído de um sermão sobre Lucas 19.1-10, de J. Vernon McGee, ex-pastor da Igreja da Porta Aberta em Los Angeles, na Califórnia. McGee mencionou que, quando Zaqueu se voltou para o Senhor, imediatamente decidiu restituir o que havia tirado dos outros. Citou, então, uma carta datada de 2 de janeiro de 1900, escrita por Frank DeWitt Talmage a R. A. Torrey, a qual McGee encontrou por acaso enquanto remexia uns papéis na escrivaninha que pertencera a Torrey. Tratava-se de uma confissão de Talmage. Eis um trecho da carta:

> Prezado Torrey,
>
> Hoje me encontro sob a sombra de dois pesares: primeiro, a morte do senhor Moody; segundo, o fato de eu lhe ter feito uma grave injustiça [...]
>
> [Nesta altura, ele apresentava a confissão do seu erro, mas, por causa da natureza pessoal da ofensa, McGee não quis revelá-la.]
>
> Se, de alguma forma, eu puder retificar o erro, farei isso com alegria [...]. Que o espírito gentil daquele que partiu me faça pregar o evangelho de amor mais e mais.
>
> Sinceramente pesaroso,
>
> Frank DeWitt Talmage

Em seguida, McGee fez esta aplicação:

> Ao ler essas palavras esquecidas por meio século, vieram-me lágrimas aos olhos. Espantou-me perceber quanto progredimos em cinquenta anos. Conservamos as tradições do fundamentalismo, mas quando vimos uma confissão assim tão doce, humilde e calma pela última vez? Parece que nós, dos círculos fundamentalistas, pensamos que, se a cabeça do homem está no lugar certo, seus pés podem caminhar na direção que desejarem e ele ainda é filho de Deus. Meus amigos, quando a cabeça vai em uma direção e os pés em outra, algo está radicalmente errado. Zaqueu não disse ser fundamentalista — não era preciso dizê-lo, ele o provou pelas suas atitudes.

4. Tire do texto princípios universais aplicáveis em todas as épocas

Durante a exegese, verdades admiráveis que saltam do trecho bíblico em estudo parecem atacar o pregador. Sempre que essas verdades surgirem, o exegeta deve escrevê-las. Embora não as use todas no sermão em preparo, podem ser úteis em uma ocasião posterior.

Eis cinco princípios que Charles R. Swindoll extraiu dos ensinos de Jesus sobre a ansiedade, em Mateus 6.25-34:

A ansiedade impede que desfrutemos o que possuímos;
A ansiedade faz-nos esquecer nosso valor;
A ansiedade apaga de nossa mente as promessas de Deus;
A ansiedade é uma característica dos pagãos, não dos cristãos.

É fácil perceber que, mediante o uso de princípios fundamentais como esses, podemos relacionar o trecho bíblico escrito séculos atrás a pessoas de nosso tempo.

É claro, não basta apenas mencionar cada princípio à medida que prosseguimos com o sermão. Sempre que necessário, devemos também discorrer sobre esses princípios ou expandi-los.

Às vezes, um sermão com apenas uma ou duas verdades universais é tão eficaz quanto outro com mais, desde que reservemos tempo para ampliá-las ou apresentá-las corretamente.

Para ajudar o principiante, damos abaixo seis princípios derivados do salmo 23, um para cada versículo.

> Todo cristão pode corretamente dizer que o Senhor é seu guardião pessoal.
>
> O Senhor dá descanso perfeito ao que confia nele. Tenho um guia divino totalmente digno de confiança.
>
> O Senhor está presente quando seu povo mais precisa dele.
>
> O Senhor provê com abundância para os seus, até mesmo em circunstâncias difíceis.
>
> Por causa das promessas do Senhor, podemos confiar inteiramente nele para superar o que encontrarmos pela frente.

Podemos não só extrair princípios de cada versículo, mas também tirar verdades permanentes de toda uma passsagem bíblica. As verdades seguintes foram tiradas do salmo 23:

> O cristão que confia tem a segurança do suprimento de cada necessidade por toda a vida.
>
> Contemplar o interesse pessoal que o Senhor dedica a cada cristão produz uma segurança abençoada.

5. Certifique-se de que toda aplicação esteja de acordo com a verdade bíblica

A aplicação correta da Bíblia depende da interpretação exata do texto. Por isso, devemos fazer todo o esforço possível para compreender corretamente o trecho bíblico. Embora a exegese seja uma tarefa lenta e difícil, é de suma importância termos certeza do verdadeiro significado do texto, para que possamos apresentá-lo. Enquanto não descobrirmos o significado correto da passagem, não poderemos ter certeza se a aplicação que estamos fazendo condiz com a verdade do texto.

Um aluno de um instituto bíblico apresentou a afirmativa seguinte, baseada na narrativa de Marcos 16.1-4, referente às mulheres que foram ao sepulcro ungir o corpo de Jesus: "As mulheres foram ao sepulcro preparadas, levando especiarias, assim como nós devemos ir a Cristo preparados para aceitar sua vontade e seu domínio em nossa vida".

Quem conhece o evangelho de Marcos sabe que o aluno não entendeu nada do significado do texto. Tivesse ele mencionado que as mulheres agiram com grande coragem e devoção amorosa, indo ao túmulo de madrugada a fim de ungir o corpo de Jesus, provavelmente não se teria desviado tanto na tentativa de fazer a aplicação do texto. Em vez de referir-se à necessidade de aceitar a vontade de Cristo e seu domínio em nossa vida, o jovem estudante poderia ter comentado o fato de que, onde existe amor genuíno pelo Salvador, aí existem provas desse amor mediante atos de devoção sacrifical a ele.

6. Em geral, a aplicação deve ser específica ou definida

Muitas vezes, o apelo é feito em termos tão gerais ou de maneira tão vaga ou indireta que não consegue transmitir à congregação a importância que tem. Isso, geralmente, se deve à falta de objetividade do próprio sermão ou, talvez, a um medo doentio do pregador de ser acusado de fanatismo ou estreiteza mental.

A atitude de Paulo foi muito diferente. Ele afirmou aos anciãos da igreja de Éfeso: "Não deixei de proclamar-lhes toda a vontade de Deus" (Atos 20.27). E aos tessalonicenses, com confiança, asseverou: "Nossa exortação não tem origem no erro nem em motivos impuros, nem temos intenção de enganá-los; ao contrário, como homens aprovados por Deus para nos confiar o evangelho, não falamos para agradar pessoas, mas a Deus, que prova o nosso coração" (1Tessalonicenses 2.3,4). Tendo o grande apóstolo como exemplo, a Palavra tem de ser proclamada com santa ousadia e, ao mesmo tempo, com um espírito generoso e amável, de tal modo que fique clara a importância de suas verdades para os homens.

Uma das melhores maneiras de apresentar o apelo é mediante perguntas que tenham aplicação específica para o povo. Deve-se ter cuidado, contudo, para que as perguntas sejam feitas de maneira cortês e correta — e o pregador, às vezes, deve incluir-se nelas, empregando a primeira pessoa do plural.

Como exemplo de aplicação específica, usamos Josué 5.13-15, em que é descrita a visão que Josué teve do Senhor quando se encontrava em pé diante da cidade sitiada de Jericó. Quando Josué viu o homem empunhando a espada, perguntou: "Você é por nós, ou por nossos inimigos?". E o homem respondeu: "Nem uma coisa nem outra [...]. Venho na qualidade de comandante do exército do SENHOR". O versículo 14 continua: "Então Josué prostrou-se, rosto em terra, em sinal de respeito, e lhe perguntou: 'Que mensagem o meu senhor tem para o seu servo?' ". Vamos pressupor que já expusemos o texto e estamos prontos para fazer a aplicação do efeito da visão em Josué:

> Acontece sempre o mesmo quando o cristão vê o Senhor. A visão de nosso Salvador coloca-nos no lugar correto — no pó, aos pés de Deus. É esta a nota principal do Reino dos céus: "Ele deve crescer, e eu, diminuir". Isso se verificou com Josué, Jó, Isaías, Daniel, Paulo e João. Tem sido essa a nossa experiência? Tem sido nossa experiência hoje? Temos visto o Senhor de novo? A prova certamente estará no estado de nossa alma na presença de Deus, e, à semelhança de Josué, nossa resposta há de ser: "Que mensagem o meu Senhor tem para o seu servo?".

Kyle M. Yates, professor de Bíblia na Universidade de Baylor, na cidade de Waco, estado do Texas, começou uma mensagem extraída de 1Coríntios 13, intitulada "Comportamento do amor", com uma série de perguntas. Observe como elas conduzem a atenção do ouvinte para a aplicação do texto ao dia a dia:

> Qual é seu proceder na vida diária? Você é tido como cristão pelo pastor, pelo vizinho, pelo pai ou pela mãe, pelos filhos, pela esposa ou pelo marido? Seria uma tragédia se algumas dessas pessoas dessem uma resposta negativa. Honestamente, qual é sua resposta a essa pergunta? Você realmente crê que seu procedimento prova que você é cristão? É uma pergunta de importância transcendental.

> Paulo vem em nosso socorro e, em 1Coríntios 13.4-7, apresenta um quadro definido e claro do cristão. Não há como perdermos a mensagem nem o veredicto: o ingrediente essencial da vida do cristão é o amor.

Stephen F. Olford, pastor da Igreja Batista do Calvário, da cidade de Nova York, apresentou um sermão intitulado "Permanecendo em Cristo", tendo como unidade expositiva João 15.1-11. Na divisão principal, intitulada "O significado da permanência em Cristo", Olford, à semelhança de Yates, usou interrogações como meio de fazer a aplicação:

> Veja o versículo 5. Jesus diz: "Sem mim [separados de mim] vocês não podem fazer coisa alguma". Meu amigo cristão, permita-me perguntar-lhe se tem trabalhado duro e lutado por anos para fazer algo e nada conseguiu. É verdade que não há frutos em sua vida? Nem eficiência, nem alegria real? Você é facilmente provocado pelos filhos? É irritadiço? Sofre ataques de nervos? É derrotado em momentos de solidão? Mais uma semana passou, e você não pode dizer com alegria: "Obrigado, Senhor, fui um instrumento para levar outra alma a Cristo. A vida de Jesus em mim, fluindo através de mim pelo Espírito Santo, vivificou ainda outra pessoa por quem Jesus morreu!". Se você não puder dizer isso, mas, ao contrário, estiver cheio de um sentimento de futilidade ou de derrota, então você não sabe o que é permanecer em Cristo. "Sem mim", declarou Jesus, "vocês não podem fazer coisa alguma".

Os parágrafos anteriores devem ser suficientes para mostrar ao leitor como a aplicação pode ser específica ou definida. Contudo, é preciso notar que a aplicação não precisa ter, necessariamente, a forma de exortação ou de apelo direto. Às vezes, pode ser apresentada como mera sugestão. Por exemplo, podemos usar uma ilustração oportuna que, por si mesma, sirva para aplicar a verdade. Qualquer que seja, porém, o modo pelo qual a aplicação é apresentada, o pregador deve levar seus ouvintes a perceber que ele está declarando a Palavra de

Deus no que ela se relaciona com a vida deles.

O aluno ainda não deve, em nenhuma hipótese, fazer uma aplicação visando um indivíduo em particular ou um grupo específico na congregação. Lançar mão de um método tão antiético é explorar o lugar sagrado para agredir pessoas que não podem retrucar e, sem dúvida, dará início a uma reação desagradável da parte dos atingidos. Por outro lado, quando apresentamos a verdade de tal modo que os próprios ouvintes façam a aplicação sem considerar que as palavras do mensageiro são dirigidas contra eles pessoalmente, em geral o efeito é extremamente salutar.

7. Desperte os ouvintes com a motivação correta

Se o pregador aplicou o sermão aos problemas e necessidades dos ouvintes, de modo que percebam como a verdade se relaciona diretamente com eles, é então natural que o pregador lhes aponte uma solução. Mas para tanto ele terá de providenciar uma motivação ou um incentivo adequados. O pregador pode levar os membros da congregação a agir, apelando para os sentimentos mais nobres e também advertindo-os das consequências da negligência ou da inércia. Pode ainda motivá-los citando algum exemplo da verdade ou ação que procura ensinar-lhes.

8. Relacione a verdade à época atual

Todos nós, sem dúvida, temos nítida consciência de que estamos vivendo em um mundo de mudanças radicais: políticas, econômicas, sociais, religiosas e morais. Os padrões e disciplinas do passado estão sendo desprezados, e mais e mais vemos um desvio das restrições da lei e da ordem em todas as camadas sociais. Essas mudanças revolucionárias afetam profundamente o homem médio e atingem todos os aspectos de seu cotidiano.

É triste observar como grande parte da pregação atual está distante da avaliação incisiva que a Bíblia faz das necessidades vitais e cotidianas das pessoas. Os sermões cobrem um sem-número de assuntos, mas, em muitos casos, não se relacionam com a vida moderna. E isso, a despeito do fato de que a Bíblia, quer comente o passado, quer se refira ao futuro, sempre visa ao presente.

Se desejamos que alguém, em meio a grandes cataclismos sociais, descubra sentido na Palavra de Deus, devemos mostrar-lhe não apenas o significado da Bíblia, mas também como suas verdades são diretamente aplicáveis a todas as situações do mundo moderno, por mais confusas que sejam. A pregação que aplica a verdade à época e às condições atuais chama-se interpretativa. É a apresentação de fatos bíblicos que lança luz sobre acontecimentos do mundo atual e seus efeitos sobre os membros da igreja.

Embora seja de vital importância relacionar a Palavra de Deus aos tempos modernos, alguns perigos acompanham a pregação interpretativa.

Alguns pregadores, esforçando-se por fazer a aplicação da verdade, diante das condições sociais caóticas de nosso tempo, confundem ministério do evangelho com serviço social. Assim, em vez de proclamar as verdades da revelação divina, muitas vezes se especializam em reformas sociais.

Muitos ministros envolvem-se com questões políticas. Sentem-se com a responsabilidade de falar sobre problemas políticos, econômicos e sociais. Alguns assumem essa prerrogativa com a ideia dúbia de que possuem a última palavra sobre questões complexas, que desafiam estadistas e economistas mais preparados. Mas, ao impor sua visão sobre tais problemas, em vez de aumentar sua própria influência, geralmente a destroem. Em nenhum ponto do Novo Testamento, vemos os apóstolos fazendo pronunciamentos sobre a maneira de o governo romano gerenciar seu império nem os descobrimos adotando resoluções para a consideração do Senado em Roma. É claro que o ministro, como cidadão, tem direito de pertencer ao partido político de sua preferência. Mas, como representante da igreja e em seus pronunciamentos religiosos, ele deve preservar com cuidado a distinção entre questões políticas e assuntos morais e evitar tudo quanto possa envolver seu ministério em assuntos que "pertencem a César".

O mensageiro que procura relacionar a luz das Escrituras aos assuntos mundanos correntes deve, portanto, ser um homem sábio e de bom discernimento. Ele não somente deve ficar fora das questões políticas, como também precisa fazer distinção entre verdade e falsidade, entre separação e comprometimento. E, como mensageiro fiel da Palavra de Deus, deve prevenir o povo sobre movimentos religiosos ou sistemas doutrinários errôneos que ameacem a pureza e a ortodoxia da igreja.

ELEMENTOS ESSENCIAIS DO SERMÃO INTERPRETATIVO

1. Evangelho

No sermão interpretativo, o mensageiro deve ter a atenção voltada para três elementos essenciais. O primeiro é o evangelho — as boas-novas divinas para os homens. Apesar de os jornais diários apontarem para uma gravidade crescente dos problemas e conflitos nacionais e internacionais, o mensageiro do evangelho tem de anunciar as boas-novas aos homens em meio ao caos e à perturbação do mundo. Ele deve, pois, aproveitar as oportunidades de proclamar com firmeza a mensagem de que Jesus salva.

2. Evangelização

Outro elemento essencial é a evangelização. O mensageiro não deve apenas proclamar o evangelho, mas também incentivar o povo, por todos os meios possíveis, a levar a outros as boas-novas. O melhor meio de promover a evangelização é o próprio mensageiro participar ativamente no ministério de ganhar os perdidos. Ao pregar aos incrédulos, ele poderá delegar à sua congregação essa tarefa.

A evangelização, porém, não deve limitar-se à comunidade em que se vive. O verdadeiro espírito da evangelização estende-se em círculos cada vez mais amplos, até abranger o mundo perdido no pecado. O mensageiro, ao procurar aplicar a mensagem das Escrituras à vida dos membros da congregação, deve exortá-los, diante das condições mundiais, a que se apressem a levar a mensagem da graça salvadora a outros, antes que seja tarde demais. A transmissão do evangelho não deve retardar. Para alcançar o mundo para Cristo, é necessário ir agora. Portanto, as missões nacionais e estrangeiras devem ocupar um lugar de destaque no ministério da pregação.

3. *Profecia*

O terceiro elemento que deve marcar o sermão interpretativo é a profecia. Enquanto escrevo, chegam do Oriente Médio notícias emocionantes, e são tantas que quase não passa um dia sem que os jornais mencionem nomes e lugares familiares a todos os leitores da Bíblia. Com efeito, os acontecimentos atuais nas terras bíblicas são tão assombrosos que as promessas de Deus a seu antigo povo de Israel despertam o interesse até mesmo da imprensa secular.

O pregador não deve perder a oportunidade única que esses acontecimentos extraordinários lhe oferecem de chamar a atenção do povo para os sinais dos tempos. Certamente, os juízos catastróficos do final desta era se aproximam, e é obrigação solene do servo de Deus apresentar as passagens da Bíblia que predizem o que deverá acontecer. Sermões sobre profecia poderão prevenir os incrédulos do perigo que correm, despertar a igreja para sua responsabilidade e reavivar nos santos a esperança da volta de Jesus Cristo. "Assim, temos ainda mais firme a palavra dos profetas, e vocês farão bem se a ela prestarem atenção, como a uma candeia que brilha em lugar escuro, até que o dia clareie e a estrela da alva nasça no coração de vocês" (2Pedro 1.19).

EXEMPLO DE ESBOÇO DE SERMÃO INTERPRETATIVO

Damos a seguir um exemplo de esboço de sermão interpretativo em forma ampliada, baseado em Oseias 10.12: "Semeiem a retidão para si, colham o fruto da lealdade, e façam sulcos no seu solo não arado; pois é hora de buscar o SENHOR, até que ele venha e faça chover justiça sobre vocês".

Título: Hora de buscar o Senhor

Introdução:

1. Palavras dirigidas a Israel — imoralidade, corrupção, violência desmedida no país, e Deus usou Oseias para chamar Israel ao arrependimento. Se havia uma época em que Israel devia buscar Deus, essa época tinha chegado.
2. O texto aplica-se a nós?

Proposição: O Senhor deixa claro as condições de quando é tempo de buscá-lo.

Oração interrogativa: Quais são essas condições?

Oração de transição: Há, pelo menos, três condições apresentadas no texto bíblico, as quais indicam ser a hora de buscar o Senhor.

I. Quando os juízos de Deus ameaçam a terra.

1. O motivo de tais ameaças de juízo

A Bíblia revela Deus como governador moral, tomando nota das nações.

Nada escapa aos seus olhos (Provérbios 15.3).

O que ele vê ao olhar para nossa nação?

Observe duas condições do país.

(1) Violência

A revista *Time* do dia 23 de março de 1983 relatou: "A cada 24 minutos, um assassinato é cometido nos Estados Unidos, a cada 10 segundos uma casa é arrombada, e a cada 7 minutos uma mulher é violentada. Mas a maldição do crime violento é geral, não apenas nas favelas de cidades deprimidas, mas em todas as áreas urbanas, na periferia, nos bairros elegantes. Ainda pior, os crimes tornam-se cada vez mais brutais, irracionais e casuais — portanto, mais apavorantes".

(2) Imoralidade

A revista *Newsweek*, de 1º de setembro de 1980, declarou: "Cerca de metade das moças de 15 a 19 anos de idade já experimentaram o sexo antes do casamento, e os números aumentam". Uma influente revista dos EUA citou, no dia 19 de janeiro de 1981, o comentário que um professor de

Artes e Ciência das Comunicações, da Universidade de Nova York, fez acerca da influência desastrosa da televisão sobre as crianças: "Faz que elas sejam cada vez mais impacientes quando a gratificação é retardada. Ainda mais sério, segundo meu modo de ver, é que a televisão está revelando todos os segredos e tabus sociais, desfazendo, assim, a divisão entre infância e vida adulta e deixando em sua passagem uma cultura homogeneizada".

(3) Aborto

A revista dos Intercessores pela América, organização contra o aborto, escreve em sua edição de 1º de março de 1981 um parágrafo sobre "as incríveis consequências potenciais para os lares dos *kits* de aborto ao alcance de todos", denuncia uma das principais companhias farmacêuticas, "que prostituiu seus valores históricos a favor da vida ao estimular essa tecnologia", e ataca "uma organização de *marketing* que encoraja a promiscuidade e vende instrumentos de morte a adolescentes".

V. 2Pedro 2.2-9; Provérbios 1.24-32.

2. A natureza dos juízos divinos

Deus puniu o pecado de Israel, permitindo que os assírios cruéis e desumanos o levassem em cativeiro. Monumentos antigos mostram o rei da Assíria furando os olhos dos prisioneiros de guerra. Não sabemos como Deus julgará nosso país, caso ele persista no pecado, mas, quando Deus revelou a Abraão o propósito de destruir Sodoma e Gomorra, Abraão "chegou-se" a Deus e intercedeu por Sodoma. Resultado: Gênesis 19.29,30. Vamos esperar até que venha o juízo, ou vamos seguir o exemplo de Abraão e buscar Deus agora a favor do nosso país?

Transição: Devemos buscar o Senhor não somente quando seus juízos ameaçam a terra, mas também devemos buscá-lo...

II. ... quando nossa condição espiritual achar-se diminuída.

1. Indicações de tal condição:

(1) Indiferença à necessidade espiritual dos perdidos

Ilustração: Jonas no navio durante a tempestade. Enquanto os marinheiros pagãos clamavam a seus deuses para que os salvassem da destruição, o único homem no navio que conhecia o Deus vivo dormia! Mesmo depois de o capitão tê-lo despertado, implorando que orasse, ele não o fez. "Não há consciência tão insensível quanto a do cristão desobediente." Se somos indiferentes aos perdidos, nossa condição espiritual encontra-se bastante diminuída.

(2) Seguindo Jesus de longe

Ilustração: Pedro seguiu Jesus de longe, aqueceu-se ao fogo do inimigo e finalmente negou Cristo. Acontece o mesmo conosco? Já fomos fervorosos, cristãos consagrados, mas agora estamos frios e indiferentes à oração e às coisas espirituais?

2. Efeitos de tal condição:

Castigo. Alguém disse: "Deus sabe castigar". Veja como Deus castigou Jonas: foi engolido por um peixe (v. Jonas 2.1: "Dentro do peixe, Jonas orou ao SENHOR, o seu Deus").

Se nossa condição espiritual está diminuída, vamos esperar até que Deus nos castigue para clamarmos a ele? Se estivermos cônscios de nossa desobediência ou seguindo Jesus de longe, busquemos Deus agora, antes que ele nos castigue. Observe o resultado na vida de Pedro: saiu e chorou amargamente.

V. Apocalipse 2.4, 5;3.15-19.

Transição: Podemos discernir com certeza que as duas primeiras condições de que falamos encontram-se presentes hoje. Há, contudo, uma terceira condição que indica ser tempo de buscar o Senhor, a saber:

III. Quando Deus está pronto para derramar suas bênçãos sobre nós.

1. O grau da bênção que Deus deseja derramar

Oseias 10.12c: "É hora de buscar o SENHOR, até que ele venha e faça chover justiça sobre vocês". Portanto, chuvas de bênção.

É isso que Deus espera para fazer — dar bênçãos abundantes de reavivamento (v. Malaquias 3.10).

2. As condições nas quais ele faz chover tais bênçãos

(1) Arrependimento

Oseias 10.12b: "Façam sulcos no seu solo não arado". Assim, permita que o Espírito Santo procure e revele o erro; pela graça divina, abandone o mal.

(2) Busca fervorosa

Oseias 10.12c: "É hora de buscar o SENHOR, até que ele venha e faça chover justiça sobre vocês". Deus deseja que sejamos persistentes e fervorosos em buscá-lo.

V. Jeremias 29.13; 2Crônicas 7.14

Transição: Reconhecendo que o tempo realmente chegou para buscarmos o Senhor, não demoremos mais em fazê-lo.

Conclusão: 1. Isaías 55.6: "Busquem o SENHOR enquanto é possível achá-lo; clamem por ele enquanto está perto". Pode vir a época em que seja tarde demais para buscá-lo.

2. Ilustração: Reavivamento na igreja da roça.

EXERCÍCIOS

1. Faça uma lista das passagens bíblicas que tratam dos seguintes estados emocionais e atitudes:

(1) Alegria
(2) Amargura
(3) Amor
(4) Ciúme
(5) Confiança
(6) Contentamento
(7) Culpa
(8) Descontentamento
(9) Egoísmo
(10) Esperança
(11) Frustação

(12) Insensibilidade
(13) Mansidão
(14) Paz
(15) Segurança
(16) Temor

2. Para cada um dos estados emocionais ou das atitudes anteriores, dê pelo menos um exemplo de sua manifestação em uma personagem da Bíblia.
3. Prepare uma mensagem temática destinada a jovens em idade escolar. Dê título, introdução, proposição, oração interrogativa, oração de transição, divisões principais, subdivisões e transições das divisões principais. Amplie o esboço, usando frases curtas sempre que possível, como indicado nos exemplos de esboços expandidos no final dos capítulos 9 e 11.
4. Elabore um sermão textual apropriado para uma mensagem sobre o serviço cristão. Siga as mesmas instruções do exercício 3 na preparação do esboço.
5. Prepare um sermão expositivo apropriado para um congresso de escola dominical. Desenvolva o esboço de acordo com as instruções do exercício 3.
6. Dê quatro títulos para uma série de mensagens sobre evangelização. Selecione um dos títulos e prepare uma mensagem sobre ele. Use os artifícios retóricos apresentados nos capítulos 9, 10 e 11 para o desenvolvimento do sermão. Escreva o esboço em forma ampliada, como os exemplos do final dos capítulos 9 e 11.
7. Construa um sermão baseado em uma passagem profética do Antigo Testamento. Dê título, introdução, proposição, divisões principais e subdivisões. Escreva por extenso a aplicação, mostrando a pertinência do texto para a época atual.
8. Procure, na biblioteca ou em outro local, sermões de pregadores famosos do passado e do presente. Algumas sugestões:

Charles H. Spurgeon
Alexander MacLaren
G. Campbell Morgan
Joseph Parker
D. Martyn Lloyd-Jones
John R. W. Stott
Stephen F. Olford
J. Sidlow Baxter
Paul S. Rees

Álvaro Reis
Antônio Trajano
Miguel Rizzo Jr.
William B. Lee
Alfonso Romano Filho
Natanael L. Nascimento
Rubens Lopes
Warren W. Wiersbe

Leia um sermão de cada um desses autores e, com base no que aprendeu em homilética, tome nota dos seguintes itens em cada sermão:

(1) As qualidades da discussão
(2) As fontes de materiais usados pelo pregador
(3) Os processos retóricos empregados
(4) O modo de fazer a aplicação

12
A conclusão

DEFINIÇÃO DE CONCLUSÃO

Vimos que todo sermão precisa ter unidade e propósito. No início da mensagem, o pregador possui apenas um objetivo: ser sempre claro e inteligível, controlando tudo que vier a dizer, de modo que as diferentes partes do sermão se dirijam para o mesmo fim, definido e específico.

Portanto,

> a conclusão é o ponto culminante do sermão, na qual o objetivo constante do pregador atinge seu alvo com um impacto vigoroso.

Deve-se esclarecer que a conclusão não é um mero apêndice, nem uma série de trivialidades não relacionadas com a mensagem, mas parte integral dela. É a parte final, na qual tudo o que foi dito anteriormente se concentra com força ou intensidade, a fim de produzir um impacto profundo na congregação.

Portanto, a conclusão não é o lugar apropriado para a introdução de novas ideias ou argumentos originais. Seu propósito é somente ressaltar, reafirmar, estabelecer ou terminar o que foi dito, com o objetivo de transmitir aos ouvintes o estímulo principal da mensagem.

A conclusão é, sem dúvida, o elemento mais poderoso de todo o sermão. Se não for bem executada, pode enfraquecer ou até mesmo destruir o efeito das partes anteriores da mensagem. Alguns pregadores, porém, esquecem-se da importância dela, e, como resultado, seus sermões, embora cuidadosamente preparados nas outras partes, fracassam no ponto crucial. Em vez de concentrar o material em um foco de calor e poder, permitem que a corrente de pensamento no final se dissipe em observações fracas ou sem importância. Por outro lado, uma boa conclusão pode, às vezes, suprir as deficiências de outras partes do sermão ou servir para aumentar seu impacto.

Em razão da importância fundamental da conclusão, o mensageiro do evangelho deve ter o máximo cuidado em sua preparação, buscando por todos os meios possíveis dar força e poder à impressão final.

FORMAS DE CONCLUSÃO

Há diversas formas de conclusão. À medida que as analisarmos, convém lembrar que o emprego de uma em particular varia de um sermão para outro, dependendo do tipo de mensagem e de seu conteúdo, bem como do estado ou da condição dos ouvintes. Repito: haverá ocasiões em que é aconselhável combinar duas formas na mesma conclusão.

1. Recapitulação

Em geral, usa-se esse tipo de conclusão quando a mensagem consiste em uma série de argumentos ou ideias, exigindo dos ouvintes muita atenção à linha de pensamento do pregador. A recapitulação das ideias principais serve para lembrar os aspectos básicos da mensagem e preparar o povo para o impacto final. Assim, a recapitulação não é mera repetição desnecessária das divisões principais, mas uma ênfase nova da verdade principal apresentada durante a mensagem, a fim de colocá-la em foco. Em geral, o pregador prudente não apresenta esse resumo usando as mesmas palavras das divisões principais, e sim valendo-se de afirmações concisas e incisivas.

2. *Ilustração*

Às vezes, é possível levar as ideias ou verdades do sermão mais eficazmente a um ponto culminante por meio de uma ilustração poderosa ou oportuna. Esse recurso é válido quando a ilustração já é um resumo da verdade principal da mensagem. Mediante esse processo, pode-se relacionar expressivamente a grande lição espiritual do sermão com os membros da igreja. Ao usar uma ilustração desse tipo, o pregador não precisará acrescentar muitas palavras à conclusão — se é que precisa acrescentar alguma. A ilustração, vigorosa e importante em si, deve representar uma conclusão suficiente.

Um pastor pregou um sermão baseado em Números 21.4-9, acerca das serpentes venenosas no deserto. Depois de dizer como as pessoas mordidas eram curadas ao olhar para a serpente de bronze levantada por Moisés, ele concluiu com esta conhecida história da conversão de Charles H. Spurgeon:

> Quando jovem, Spurgeon sentia tanta culpa pelo pecado que ia de uma igreja a outra por toda a cidade, tentando descobrir como ser perdoado. Em um domingo de inverno, a caminho da igreja, ele teve de enfrentar uma tempestade de neve tão violenta que se viu forçado a parar. Entrando por uma rua estreita, encontrou uma pequena capela. Nela havia 15 pessoas. O próprio pastor não estava presente por causa da tempestade. Em seu lugar, um membro da congregação pregou sobre Isaías 45.22: "Voltem-se para mim e sejam salvos, todos vocês, confins da terra; pois eu sou Deus, e não há nenhum outro". Visto que o homem pouco sabia de homilética, seu sermão consistiu, na maior parte, na repetição do texto de maneiras diferentes. Por fim, não tendo mais o que dizer sobre a passagem, dirigiu a atenção para Spurgeon, que estava sentado ao fundo, e, falando diretamente a ele, disse: "Jovem, você tem uma aparência muito

triste, e sua tristeza jamais acabará — na vida ou na morte — se não fizer o que diz este texto. Mas, se você olhar para Jesus, será salvo". E então bradou: "Jovem, olhe para Jesus!". Naquele instante, em vez de continuar insistindo em sua própria culpa e insuficiência, Spurgeon começou a confiar em Cristo. Seu desespero se desfez, e ele se encheu de alegria. Agora ele sabia que seus pecados estavam perdoados, não mediante esforço de sua parte, mas simplesmente por haver olhado para Cristo, e Cristo somente, para sua salvação.

3. Aplicação ou apelo

A mensagem, à medida que se aproxima a conclusão, deve levar os ouvintes a perguntar a si mesmos: "O que essa verdade tem que ver comigo, com meus relacionamentos no lar, na igreja, nos negócios, na minha vida e na minha conduta diária?". Para que isso aconteça, o pregador deve concluir muitos sermões com uma aplicação em forma de apelo direto, conclamando o povo a uma resposta às verdades apresentadas na mensagem. Às vezes, a aplicação mais eficaz consiste em resumir o ponto central do sermão, repetindo a proposição ou ideia homilética. O mensageiro pode também empregar dois ou três princípios retirados da passagem, a fim de levar a mensagem à conclusão. Como essas verdades permanentes sempre se relacionam com a vida, não é preciso elaborá-las: serão suficientes algumas observações concisas sobre cada uma.

4. Motivação

Na conclusão, não devemos somente impor uma obrigação moral aos ouvintes, mas também incentivá-los a responder pessoalmente ao desafio apresentado. Esse incentivo pode assumir formas diversas.

Em alguns casos, o pregador precisará incutir nos ouvintes o temor da desaprovação divina pelo erro ou mau pensamento. Em outros, deve apelar para ideais como amor a Deus e ao homem, coragem, força, integridade e pureza, nobreza e respeito próprio.

Qualquer abordagem deve ter como alvo persuadir o povo a reagir afirmativamente às exigências de Deus para com ele.

Seja qual for o objetivo do sermão, o pregador deve reunir na conclusão todas as linhas principais de pensamento apresentadas na mensagem, de modo que obtenha uma resposta pessoal. É esse o propósito do sermão bíblico: uma resposta adequada de atitude ou de ação. Portanto, o mensageiro deve estar muito atento à conclusão, para que nesse momento decisivo suas palavras sejam as mais diretas e vigorosas.

É erro, contudo, pensar que o sermão deva terminar com um apelo emocional patético, no qual o pregador chega a uma excitação febril. Pelo contrário, um final natural, simples e calmo geralmente é muito mais impressionante e eficaz. Convém notar ainda que é mais fácil que a congregação aceite repreensões e advertências solenes feitas com ternura e amor que em forma de denúncias trovejantes.

PRINCÍPIOS PARA O PREPARO DA CONCLUSÃO

1. A conclusão deve ser breve

Embora a conclusão seja parte vital do sermão, e por isso deva ser preparada com todo o cuidado, não precisa ser longa. Pelo contrário, ela deve ser, em geral, razoavelmente curta. Não podemos estabelecer o tempo ideal para a conclusão. Contudo, o pregador deve dar a importância devida à parte principal do sermão e certificar-se de que sobre tempo suficiente, na conclusão, para concatenar suas ideias ou levá-las, com energia, ao ponto principal.

Alguns pregadores têm o hábito de dizer à congregação que estão prestes a concluir, usando frases como: "Concluindo...", "Finalmente..." etc., mas, em vez de terminar imediatamente, com frequência prosseguem por mais dez ou quinze minutos. A congregação espera que a despedida tenha um tempo adequado, e é dever do pregador respeitar a expectativa dos ouvintes. Portanto, tendo levado a mensagem ao ponto oportuno de terminá-la, ele deve parar de falar.

2. A conclusão deve ser simples

O mensageiro não deve esforçar-se por elaborar demais ou enfeitar a conclusão. Uma linguagem simples, clara e positiva, ao mesmo tempo penetrante e enérgica, obtém melhor efeito que um discurso cheio de palavras difíceis. O fator importante da conclusão é uma clareza tal que o objetivo do sermão seja óbvio aos ouvintes.

3. Deve-se escolher com cuidado e atenção as últimas palavras da conclusão

As últimas palavras devem fixar na congregação o assunto discutido ou realçar sua importância e urgência. Para atingir esses objetivos, as palavras finais devem consistir em um dos aspectos seguintes:

a) Uma reprodução forte e vívida do pensamento principal do sermão

Suponhamos, por exemplo, um sermão intitulado "O cristão frutífero", usando João 15.1-8. As palavras finais podem ser: "Não devemos perguntar a nós mesmos: 'Eu sou um cristão frutífero?'. Jesus disse: 'Se alguém permanecer em mim e eu nele, esse dará muito fruto'. Alguém também disse: 'O ramo retira tudo da raiz, e tudo dá no fruto' ".

Compreendemos melhor como essas observações finais são apropriadas observando o seguinte esboço:

Título: O cristão frutífero
Texto: João 15.1-8
Introdução:

1. A Bíblia contém muitas verdades profundas acerca da vida cristã.
2. Para ensinar-nos algumas dessas verdades, Cristo às vezes usa ilustrações ou parábolas simples — aqui, a da videira e dos ramos frutíferos.

Proposição: Um dos grandes objetivos do Senhor para seu povo é que se torne frutífero.

Oração interrogativa: Como podemos tornar-nos cristãos frutíferos?

Oração de transição: Examinando os aspectos essenciais da parábola de João 15.1-8, descobrimos como podemos tornar-nos cristãos frutíferos.

I. A videira (v. 1,5)
   1. Fala de Cristo, a videira verdadeira (v. 1)
   2. Fala de Cristo em relação a nós (v. 5)

II. Os ramos (v. 2-6)
   1. Falam de nós, por meio de quem o fruto deve ser produzido (v. 2,4,5)
   2. Falam de nós, que devemos permanecer em Cristo a fim de produzir frutos (v. 4-6)
   3. Falam de nós, que devemos produzir frutos em abundância (v. 2,5,8)

III. O agricultor (v. 1,2,6,8)
   1. Fala de Deus, que corta os ramos infrutíferos (v. 1,2a,6)
   2. Fala de Deus, que poda os ramos (v. 2b)
   3. Fala de Deus, que é glorificado quando produzimos muito fruto (v. 8)

Conclusão:
   1. Todo cristão deve ser frutífero
   2. Observações finais — veja o que foi dito anteriormente

b) A citação do próprio texto

Se o pregador escolheu João 15.1-4 como texto, pode terminar o sermão citando esta passagem: "Permaneçam em mim, e eu permanecerei em vocês. Nenhum ramo pode dar fruto por si mesmo, se não permanecer na videira. Vocês também não podem dar fruto, se não permanecerem em mim".

c) Citação de outra passagem bíblica apropriada ao sermão

Supondo, uma vez mais, que o texto escolhido para o sermão seja João 15.1-4, o pregador pode concluir com uma referência paralela, como Gálatas 5.22,23: "Mas o fruto do Espírito é amor, alegria, paz, paciência, amabilidade, bondade, fidelidade, mansidão, domínio próprio. Contra essas coisas não há lei".

No esboço temático a seguir, citamos um único versículo como conclusão da mensagem:

Título: O que torna o lar cristão?

Introdução: 1. Definição: "Lar é o reino do pai, o mundo da mãe e o paraíso dos filhos".

2. Necessidade hoje: mais lares felizes — mais lares cristãos.

A Bíblia apresenta os ideais para o lar.

Proposição: O lar cristão é fundado em ideais cristãos.

Oração interrogativa: Que ideais encontramos nas Escrituras para o lar cristão?

Oração de transição: Encontramos, na Palavra de Deus, pelo menos três ideais para o lar cristão.

I. É um lar no qual reina o amor.
   1. No coração dos pais, um pelo outro (Tito 2.11; Colossenses 3.19; Efésios 5.25,28-33; 2Coríntios 13.4-7).
   2. No coração dos pais, pelos filhos (Tito 2.4; Gênesis 22.2).

II. É um lar no qual se exercita a autoridade paterna.
   1. Pelo pai, a autoridade máxima (Efésios 6.1-4).
   2. No espírito correto (Efésios 6.4; Colossenses 3.21).

III. É um lar no qual Cristo está presente.
   1. Como Senhor (Efésios 5.22; 6.4).
   2. Para manifestar seu poder quando é obedecido (João 2.1-11).

Conclusão: João 14.21 — "Quem tem os meus mandamentos e lhes obedece, esse é o que me ama. Aquele que me ama será amado por meu Pai, e eu também o amarei e me revelarei a ele".

d) Citação de um poema apropriado ou de uma ou duas estrofes de um hino

Como mencionamos no capítulo 9, a citação de hinos ou poemas deve ser breve, sendo suficiente uma estrofe ou até mesmo duas linhas.

e) Um apelo ou desafio imperioso

Se o pregador estiver transmitindo uma mensagem evangelística intitulada "Três homens que morreram no Calvário", falando de Cristo na cruz do meio, do ladrão arrependido e do que não se arrependeu nas outras duas cruzes, uma à esquerda e outra à direita, suas palavras finais podem ser: "Todo homem e toda mulher se encontram hoje no lugar de um desses dois ladrões. Somos arrependidos ou impenitentes; somos perdoados ou não; somos salvos ou perdidos. Em que lugar você está?".

Repetimos o esboço sobre Lucas 15.11-24, apresentado no capítulo 6, e chamamos a atenção do aluno para a conclusão, que consiste no uso de uma ilustração seguida de um apelo. O apelo, nesse caso, é um tanto parecido com o do parágrafo anterior.

Título: Perdido e achado

Introdução:

1. Na Feira Mundial de Chicago, com o intuito de ajudar os pais a localizar filhos extraviados pelo recinto, as autoridades estabeleceram um departamento de "perdidos e achados" para as crianças.
2. O capítulo 15 de Lucas é o "departamento de perdidos e achados" da Bíblia. Nessa passagem, Jesus fala de três coisas que se perderam e foram achadas: uma ovelha, uma moeda e um filho.
3. A história do filho que se perdeu e foi encontrado exemplifica a vida de um pecador arrependido, que se perdeu, mas é achado.

Proposição: O Senhor recebe com alegria o pecador arrependido.

Oração interrogativa: Como essa verdade se apresenta na vida do filho pródigo, que estava perdido e foi achado?

Oração de transição: Essa verdade apresenta-se na história de um pecador arrependido descrita na vida do filho perdido, em quatro partes.

I. A culpa do pecador (v. 11-13)
   1. Em sua teimosia (v. 11,12)
   2. Em sua vergonha (v. 13)
II. A miséria do pecador v. (14-16)
   1. Na fome de sua alma (v. 14)
   2. Em seus esforços inúteis de satisfazer a fome (v. 15,16)
III. O arrependimento do pecador (v. 17-20a)
   1. Na compreensão de sua pecaminosidade (v. 17-19)
   2. Em seu retorno para Deus (v. 20a)
IV. A restauração do pecador (v. 20b-24)
   1. Nas boas-vindas que Deus lhe dá (v. 20b,2)
   2. No favor que lhe foi concedido por Deus (v. 22-24)

Conclusão. Ilustração (v. 25-32): Havia outro filho perdido — o filho mais velho. Quando o irmão voltou, ele estava no campo. Quando o pai lhe pediu para ir à festa que se realizava na casa para o irmão, ele recusou. Disse ter vivido retamente toda a sua vida e, por isso, digno de recompensa era ele, não o outro. O filho mais velho estava perdido completamente, sem arrependimento. O pródigo voltou ao lar porque se arrependeu da culpa. Em vista disso, o filho mais velho, em seu orgulho e farisaísmo, como diz a história, jamais se reconciliou com o pai.

Os dois filhos representam duas classes de indivíduos: 1) a dos pecadores que vêm a Deus de livre vontade, reconhecendo sua necessidade de perdão; 2) a dos que se acham tão justos que não percebem sua necessidade de arrependimento. Será que você, à semelhança do filho perdido, já foi a Deus admitindo sua culpa para encontrar a plenitude do perdão, ou é como o filho mais velho, bom demais para necessitar do perdão de Deus? O Salvador disse: "Quem vier a mim eu jamais rejeitarei". Por que não vem a ele agora?

Observe como nesse último exemplo, e também no anterior, as palavras finais do apelo são uma interrogação, deixando que o ouvinte dê sua resposta.

4. A conclusão deve estar expressa no esboço, em poucas orações ou frases

Como todas as outras partes do sermão, a conclusão deve ser apresentada de maneira tão breve quanto possível, e cada ponto, ou ideia, deve ser escrito em linhas diferentes. A ilustração a seguir, conclusão da mensagem intitulada "O salmo do contentamento", apresentada em capítulos anteriores, mostra como fazê-lo.

Conclusão:

1. João 10.4,16,27 — A ovelha de Cristo ouve a voz dele.
2. Se quisermos experimentar tudo que foi dito nesse salmo a respeito das ovelhas, devemos constantemente ouvir a voz de Cristo e segui-lo.

Para que o aluno veja como a conclusão se relaciona com o corpo principal do sermão, apresentamos o esboço todo:

Título: O salmo do contentamento

Texto: Salmos 23

Introdução:

1. Pastor de ovelhas em Idaho, com um rebanho de 1.200 ovelhas — incapaz de dar-lhes atenção individual.
2. Contraste com o pastor desse salmo — como se tivesse apenas uma ovelha para cuidar.
3. Todo filho de Deus se identifica com a ovelha apresentada nesse salmo.

Proposição: O contentamento é a prerrogativa feliz de todo filho de Deus.

Oração interrogativa: Em que se baseia esse contentamento?

Oração de transição: O filho de Deus aprende com esse salmo que, como ovelha do Senhor, seu contentamento se baseia em três fatos relacionados com as ovelhas.

I. O pastor das ovelhas (v. 1)
   1. Um pastor divino (v. 1)
   2. Um pastor pessoal (v. 1)

II. A provisão das ovelhas (v. 2-5)
   1. Descanso (v. 2)
   2. Direção (v. 3)
   3. Conforto (v. 4)
   4. Fartura (v. 5)
III. O futuro das ovelhas (v. 6)
   1. Um futuro brilhante nesta vida (v. 6)
   2. Um futuro abençoado no porvir (v. 6)

Conclusão:

1. João 10.4,16,27 — A ovelha de Cristo ouve a voz dele
2. Se quisermos experimentar tudo que foi dito nesse salmo a respeito das ovelhas, devemos constantemente ouvir a voz de Cristo e segui-lo

Com a devida permissão do autor, damos abaixo um esboço de sermão expositivo preparado por James Morgan.

Título: Princípios para a extensão missionária bem-sucedida

Texto: Atos 13.1-5

Introdução:

1. Jamais na história da igreja teve ela oportunidade maior de evangelizar
2. Grande parte do mundo está aberta à evangelização, e, como veremos, a igreja não deve cometer o erro de desincumbir-se da responsabilidade que Deus lhe deu

Proposição: Os princípios divinos para a extensão missionária garantirão seu êxito

Oração interrogativa: Quais são esses princípios?

Oração de transição: Atos 13.1-5 revela quatro princípios eficazes para a extensão missionária

I. Deve haver gente de qualidade, disponível (v. 1)
   1. Gente que se encontra em comunhão ativa com a igreja (v. 1)
   2. Gente espiritualmente equipada (v. 1)

II. Deve haver um chamado do Espírito Santo (v. 2)
   1. Gente chamada por uma escolha específica (v. 2)
   2. Gente chamada para um ministério específico (v. 2)
III. A igreja deve identificar-se com os missionários (v. 3)
   1. Deve orar com eles (v. 3)
   2. Deve comissioná-los (v. 3)
   3. Deve aceitar a responsabilidade de enviá-los (v. 3)
IV. Os que são enviados devem trabalhar diligentemente (v. 4,5)
   1. Devem obedecer à liderança do Espírito (v. 4)
   2. Devem pregar a Palavra de Deus (v. 5)
   3. Devem trabalhar unidos (v. 5)

Conclusão:

1. Esses princípios não são complexos, mas são os que Deus escolheu
2. Nossa resposta a Cristo exige que tomemos nosso lugar, pondo esses princípios em ação
3. Cada um deve perguntar a si mesmo:
   "Estou qualificado?"
   "Estou dando ouvidos à voz do Espírito Santo?"
   "Identifico-me verdadeiramente com os que já foram?"
   "Estou disposto a me dedicar como o Espírito de Deus determinar?"
4. Deus espera nossa resposta

Outra maneira de concluir apropriadamente esse último esboço seria mediante uma ilustração como a que segue, tirada da vida de John G. Mitchell, pastor emérito da Igreja Bíblica Central de Portland, no Oregon, e um dos fundadores da Escola Bíblica Multnomah:

> Quando John Mitchell pastoreava uma igreja em Grand Rapids, no estado de Michigan, recebeu uma mensagem de um dos jovens de sua igreja, prestes a deixar os Estados Unidos para o serviço missionário na China. Antes de partir, o jovem telegrafou a Mitchell pedindo-lhe uma palavra final de conselho para a missão. Mitchell imediatamente

enviou-lhe um telegrama que dizia: "Sente-se aos pés de Jesus e, em seguida, diga aos chineses o que você vê".

O conselho de Mitchell a esse jovem aplica-se não somente ao missionário em campo estrangeiro, mas também a todo servo de Jesus que tem o privilégio e a honra de proclamar as riquezas de Cristo.

Se desejamos ser mensageiros dignos de Cristo, assentemo-nos também aos pés de Jesus, até que nosso coração e nosso caráter sejam transformados à sua semelhança.

"E todos nós, que com a face descoberta contemplamos a glória do Senhor, segundo a sua imagem estamos sendo transformados com glória cada vez maior, a qual vem do Senhor, que é o Espírito. Portanto, visto que temos este ministério pela misericórdia que nos foi dada, não desanimamos" (2Colossenses 3.18—4.1).

EXERCÍCIOS

1. Prepare uma introdução e uma conclusão apropriadas para o sermão temático intitulado "Podemos saber a vontade de Deus para nós?", do capítulo 8.
2. Estude o esboço e as observações do capítulo 3 sobre o sermão expositivo intitulado "Beco sem saída" e, em seguida, formule introdução, proposição, oração interrogativa, oração de transição, transições entre as divisões principais e conclusão para o esboço.
3. Em vez da conclusão apresentada no final do capítulo 9, para o sermão intitulado "Conquistado pelo amor", providencie uma ilustração que produza um clímax oportuno para a mensagem.
4. Mediante os processos retóricos tratados nos capítulos 9, 10 e 11, amplie o esboço intitulado "O salmo do contentamento" apresentado neste capítulo.
5. Prepare um esboço completo de sermão temático para uma mensagem do Dia dos Pais, dando título, introdução, proposição, oração interrogativa, oração de transição, divisões

principais, subdivisões, transições entre as divisões principais e conclusão. Amplie o esboço, usando os processos retóricos apresentados nos capítulos 9, 10 e 11. Na discussão, sempre que possível, use frases curtas, em vez de orações completas.

6. Construa um esboço de sermão textual completo sobre Atos 1.8, seguindo as instruções do exercício 5.
7. Faça um esboço completo de sermão expositivo sobre Filipenses 4.4-9, seguindo o método requerido no exercício 5.

Resumo

PASSOS BÁSICOS NO PREPARO DO ESBOÇO DO SERMÃO

Por causa da multiplicidade de regras acerca da elaboração de sermões, apresentadas nos capítulos precedentes, mostraremos abaixo, passo a passo, os processos básicos da preparação de uma mensagem bíblica.

1. Escolha da passagem

Se quiséssemos apresentar uma série de mensagens usando um livro da Bíblia do começo ao fim, não haveria a tarefa de selecionar uma unidade bíblica para a exposição. Simplesmente tomaríamos como texto a passagem imediatamente após a que acabamos de usar. Esse é, realmente, o plano ideal, porque não só evita a procura semanal de um texto bíblico apropriado, como também possibilita ao mensageiro ensinar um livro todo. Se a série de sermões sobre determinado livro não for extensa demais, dará aos ouvintes uma visão bem equilibrada do livro e ao pregador a possibilidade de tratar de numerosos assuntos delicados relacionados com a vida dos membros da congregação, sem parecer que ele os utiliza de propósito contra eles.

A dificuldade de selecionar uma passagem bíblica surge quando não estamos acompanhando um plano, e os textos empregados não seguem uma ordem especial. Nesse caso, somos obrigados a depender de várias circunstâncias que nos indiquem o rumo a tomar na escolha das passagens bíblicas. As necessidades espirituais e temporais da congregação, as épocas especiais ou festividades, dificuldades ou conflitos, alvos particulares ou genéricos e os dias regulares de celebração no calendário da igreja, tudo isso exige um texto apropriado à ocasião. Mas, em qualquer circunstância, precisamos confiar na direção do Espírito Santo e deixar que ele nos conduza ao texto de sua vontade. Enquanto esperamos, sem dúvida ele nos guiará por diversos meios à escolha do texto apropriado.

Certo dia, meditando na história do filho perdido, a atenção de um pastor foi subitamente atraída por estas palavras de Lucas 15.17: "Caindo em si [...]". Elas constrangeram de tal modo a alma do ministro que, para o culto do domingo seguinte, preparou uma mensagem intitulada: "Retorno à sanidade espiritual". Na manhã de domingo, visitava a igreja uma senhora cristã, residente em outra cidade. Ela tinha se desviado do Senhor, e um terrível sentimento de culpa pesava sobre essa mulher a ponto de quase fazê-la enlouquecer. Ao ler o título do sermão, percebeu de imediato que a mensagem daquela manhã era dirigida a ela. O Senhor deu esse sermão ao seu servo fiel, e o resultado foi a recuperação da mulher desviada à sanidade espiritual e ao Senhor.

2. Estudo exegético da passagem

Há ocasiões em que o Espírito de Deus pode revelar, em um *flash*, a mensagem que devemos transmitir. Os aspectos básicos e as verdades do texto podem vir-nos de modo tão admirável que, em questão de minutos, temos todo o sermão delineado. Geralmente, porém, a preparação da mensagem exige pesquisa diligente em atitude de oração.

3. Descoberta do foco principal da passagem

Apresentamos no capítulo 7 como descobrir o assunto e o complemento do texto e como expressá-los em forma de ideia exegética com uma única oração completa. Essa oração exprime o pensamento principal do texto.

Vimos também, no mesmo capítulo, que a ideia exegética leva a uma afirmativa da proposição ou ideia homilética, na qual a verdade básica da passagem é formulada como um princípio duradouro e verdadeiro para todas as épocas, aplicável a todas as pessoas, em todos os lugares. É essa verdade, foco principal da passagem, que o pregador deve transmitir aos ouvintes na mensagem.

A unidade expositiva, porém, pode ser vista sob diferentes perspectivas, dependendo do ponto de vista que o Espírito de Deus nos leve a assumir. Já nos referimos a esse fato no capítulo 3, ao tratarmos do método de abordagem múltipla. Entretanto, devemos sempre lembrar-nos de que nosso objetivo principal é relacionar a passagem bíblica à vida dos ouvintes.

4. Construção do esboço do sermão

Quando o pregador termina o estudo exegético, já pode ter uma boa ideia da passagem e de suas divisões naturais. Estas podem fornecer os versículos para o esboço do sermão, mas nem sempre isso acontece. Só depois de formulada a proposição, o pregador está pronto para prosseguir na elaboração do esboço, pois, como dissemos anteriormente, a tese, além de ser o fundamento do sermão, indica o rumo da mensagem, juntamente com a oração de transição. As divisões principais desdobram, desenvolvem ou explicam o conceito expresso na proposição.

Se pretende elaborar o sermão usando o método indutivo, o pregador deve declarar os pontos em sequência ordenada, culminando com a afirmativa da proposição no final da mensagem. Ou, dependendo de seu objetivo, o sermão pode não conter uma expressão formal da tese.

Também já vimos que as divisões principais devem ser expressas claramente, a fim de serem imediatamente inteligíveis, e como os pontos do esboço devem progredir passo a passo até o clímax. Uma das vantagens de um esboço claro e lógico é que facilita ao pregador lembrar-se da mensagem toda enquanto a transmite, evitando assim a distração provocada pela consulta frequente às notas. Ao mesmo tempo, os ouvintes acharão muito mais fácil acompanhar o sermão quando ele for apresentado claramente, em sequência ordenada e com transições suaves, que ajudem a reconhecer a mudança de ideias de uma unidade de pensamento para outra.

5. *Preenchendo o esboço*

Depois de traçar as divisões e subdivisões do sermão, o pregador deve preencher o esboço com material que transmita aos ouvintes, de modo apropriado, as ideias representadas pelas divisões principais.

Como um dos objetivos principais do sermão é explicar o texto, o material empregado no preenchimento do esboço deve provir dos dados reunidos na exegese bíblica. Além disso, podem ser incluídos fatos tirados de fontes diversas, como outras formas de literatura, experiências alheias e pessoais e observação das coisas que nos cercam. O mensageiro pode também criar figurações, dando assim vida à apresentação da verdade, desde que use, com prudência, a imaginação.

Na ampliação do esboço, o mensageiro precisa empregar mais de um processo retórico: explanação, argumentação, citação, ilustração e aplicação. Como já dissemos, a explanação do texto é básica para a interpretação de qualquer passagem bíblica. Contudo, a ordem dos vários processos retóricos dependerá das circunstâncias e das condições surgidas no desenvolvimento do sermão.

Após ter reunido uma boa quantidade de material para a ampliação do esboço, o principiante pode ser tentado a incluir ideias demasiadas em sua mensagem. Se quiser apresentar esse acúmulo de ideias, o povo se perderá em um emaranhado de conceitos e fatos e ficará confuso.

Para evitar isso, o alvo do pregador deve ser a simplicidade. Tenha diante de si a verdade central a ser transmitida e, cuidadosa mas impiedosamente, elimine todo o excedente. O sermão com um alvo claramente definido e que caminha rápida e firmemente para um clímax é muito mais eficaz e vigoroso que a mensagem em que o pregador e o ouvinte se afogam em muitos detalhes ou que é pesada demais para ser assimilada.

Durante a transmissão da mensagem, o pregador deve decidir quanto tempo vai levar em cada ponto. Algumas partes podem requerer mais tempo, dependendo da importância delas e da resposta dos ouvintes.

6. Preparo da conclusão, da introdução e do título

Enquanto as ideias da mensagem ainda estão vivas em sua mente, o pregador deve preparar a conclusão. Logo que a mensagem chega ao clímax, na conclusão, ele deve parar de falar. Lembrando-se de que a atenção do ouvinte médio é limitada, o mensageiro não deve prolongar a conclusão.

A introdução e o título do sermão muitas vezes são os últimos itens a serem preparados, não por serem menos importantes, mas porque o pregador, em geral, terá uma visão mais clara depois de elaborar a parte principal da mensagem e após saber o que vai apresentar no corpo do sermão.

7. Dependência total do Espírito de Deus

Embora já o tenhamos mencionado, não é demais acentuar. Juntamente com o tempo e o esforço despendidos no preparo e na entrega do sermão, o ministério do mensageiro da Palavra de Deus deve sempre ser executado sob a dependência do Espírito de Deus. Só ele pode pôr o pensamento certo na mente do pregador, as palavras corretas em seus lábios e enchê-lo de amor e graça para transmitir a mensagem, de modo que a bênção de Deus o assista durante a comunicação da verdade. Então, ele poderá pregar no poder do Espírito Santo e conduzir os abatidos à presença de Jesus Cristo, nosso Senhor e Salvador.

> Mas não pregamos a nós mesmos, mas a Jesus Cristo, o Senhor, e a nós como escravos de vocês, por causa de Jesus [...]. Mas temos esse tesouro em vasos de barro, para mostrar que este poder que a tudo excede provém de Deus, e não de nós (2Coríntios 4.5,7).

Bibliografia

AYER, William Ward. Study Preparation & Pulpit Preaching. **Bibliotheca Sacra**, v. 124, p. 494, abr.-jun. 1967.

______. Preaching to Combat the Present Revolution. **Bibliotheca Sacra**, v. 124, p. 495, jul.-set. 1967.

BAIRD, John E. **Preparing for Platform and Pulpit**. Nashville: Abingdon Press, 1968.

BAUMANN, J. Daniel. **An Introduction to Contemporary Preaching**. Grand Rapids: Baker Book House, 1972.

BERKHOF, L. **Principles of Biblical Interpretation**. Grand Rapids: Baker Book House, 1960.

BLACKWOOD, Andrew W. **Preaching from the Bible**. Nashville: Agingdon-Cokesbury Press, 1941.

______. **The Fine Art of Preaching**. New York: The Macmillan Company, 1937.

______. **The Preparation of Sermons**. Nashville: Abingdon--Cokesbury Press, 1948.

BLOCKER, Simon. **The Secret of Pulpit Power Through Thematic Christian Preaching**. Grand Rapids: Wm. B. Eerdmans Company, 1951.

BOWIE, Walter Russell. **Preaching**. Nashville: Abingdon Press, 1954.
BRACK, Harold A.; KENNETH, G. Hance. **Public Speaking and Discussion for Religious Leaders**. Englewood Cliffs: Prentice Hall, 1961.
BRASTOW, Lewis O. **The Word of the Preacher**. Boston: The Pilgrim Press, 1914.
BREED, David Riddle. **Preparing to Preach**. New York: George H. Doran Company, 1911.
BROADUS, John A. **On the Preparation and Delivery of Sermons**. Revised by Jesse B. Weatherspoon. New York: Harper & Brothers, 1944.
BROWN, H. C. Jr.; CLINARD, H. Gordon; NORTHCUTT Jesse J. **Steps to the Sermon**. Nashville: Broadman Press, 1963.
BRYAN, Dawson C. **The Art of Illustrating Sermons**. Nashville: Cokesbury Press, 1958.
BURRELL, David James. **The Sermon:** Its Construction and Delivery. New York: Fleming H. Revell Company, 1913.
CAEMMERRER, Richard R. **Preaching for the Church**. St. Louis: Concordia Publishing House, 1959.
DAVIS, Henry Grady. **Design for Preaching**. Philadelphia: Fortress Press, 1958.
DAVIS, Ozora S. **Principles of Preaching**. Chicago: University of Chicago Press, 1924.
DEMARAY, Donald E. **An Introduction to Homiletics**. Grand Rapids: Baker Book House, 1976.
DEWELT, Don. **If You Want to Preach**. Grand Rapids: Baker Book House, 1957.
ETTER, John W. **The Preacher and His Sermon**. Dayton: United Brethren Publishing House, 1902.
EVANS, William. **How to Prepare Sermons and Gospel Addresses**. Chicago: The Bible Institute Colportage, 1913.
FAW, Chalmer E. **A Guide to Biblical Preaching**. Nashville: Broadman Press, 1962.

FORD, D. W. Cleverley. **The Ministry of the Word**. Grand Rapids: William B. Eerdmans Publishing, 1979.

GOWAN, Joseph. **Homiletics or the Theory of Preaching**. Londres: E. Stock, 1922.

HOGUE, Wilson T. **Homiletics and Pastoral Theology**. Winona Lake: Free Methodist Publishing House, 1949.

HOLMES, George. **Toward and Effective Pulpit Ministry**. Sprinfield, Missouri: Gospel Publishing House, 1971.

HOPPIN, James M. **Homiletics**. New York: Dodd, Mead and Company, 1881.

GIBBS, Alfred P. **The Preacher and His Preaching**. 3. ed. Ft. Dodge: Walterick Printing Company.

JORDAN, G. Ray. **You Can Preach**. New York: Fleming H. Revell Company, 1958.

KAISER JR., Walter C. **Toward an Exegetical Theology:** Biblical Exegesis for Preaching and Teaching. Grand Rapids, Michigan: Baker Book House, 1981.

KNOTT, Harold E. **How to Prepare an Expository Sermon**. Cincinnati: The Standard Publishing Company, 1930.

KOLLER, Charles W. **Expository Preaching without Notes**. Grand Rapids: Baker Book House, 1962.

LANE, Denis. **Preach the Word**. Welwyn: Evangelical Press, 1979.

LEHMAN, Louis P. **Put a Door on It:** The "How" and "Why" of Sermon Illustration. Grand Rapids: Kregel Publications, 1975.

LLOYD-JONES, D. Martyn. **Preaching & Preachers**. Grand Rapids: Zondervan Publishing House, 1972.

LOCKYER, Herbert. **The Art and Craft of Preaching**. Grand Rapids: Baker Book House, 1975.

MACHPHERSON, Ian. **The Burden of the Lord**. Nashville: Abingdon Press, 1955.

MEYER, F. B. **Expository Preaching:** Plans and Methods. New York: George H. Doran Company, 1912.

MICKELSON, A. Berkeley. **Interpreting the Bible**. Grand Rapids: Eerdmans, 1963.

MILLER, Donald G. **Fire in Thy Mouth**. Grand Rapids: Baker Book House, 1976.
MONTGOMERY, R. Amos. **Expository Preaching.** New York: Fleming H. Revell Company, 1939.
PATTISON, T. Harwood. **The Making of the Sermon**. Philadelphia: The American Baptist Publication Society, 1898.
PERRY, Lloyd M. **A Manual for Biblical Preaching**. Grand Rapids: Baker Book House, 1965.
______. **Biblical Sermon Guide**. Grand Rapids: Baker Book House, 1970.
PHELPS, Austin. **The Theory of Preaching**. New York: Charles Scribner's Sons, 1892.
RAMM, Bernard. **Protestant Biblical Interpretation**. Ed. rev. Boston: W. A. Wilde, 1956.
RAY, Jeff D. **Expository Preaching**. Grand Rapids: Zondervan Publishing House, 1940.
REU, M. **Homiletics:** A Manual of the Theory and Practice of Preaching. Minneapolis: Augsburg Publishing House, 1950.
RILEY, W. B. **The Preacher & His Preaching.** Wheaton: Sword of the Lord Publishers, 1948.
ROBINSON, Haddon W. **Biblical Preaching**. Grand Rapids: Baker Book House, 1980.
RODDY, Clarence Stonelynn. **We Prepare and Preach**. Chicago: Moody Press, 1959.
SANGSTER, William Edwin. **The Craft of the Sermon**. Philadelphia: Westminster Press, [s.d.].
SKINNER, Craig. **The Teaching Ministry of the Pulpit**. Grand Rapids: Baker Book House, 1979.
SLEETH, Ronald E. **Persuasive Preaching**. New York: Harper & Brothers, 1956.
SPURGEON, Charles Haddon. **Lectures to My Students**. Grand Rapids: Zondervan Publishing House, 1965.
STEWART, James S. **Heralds of God**. New York: Charles Scribner's Sons, 1946.

STIBBS, Alan M. **Expounding God's Word**. Grand Rapids: The Eerdmans Publishing Company, 1961.
TERRY, Milton. **Biblical Hermeneutics**. Grand Rapids: Zondervan Publishing House, s.d.
UNGER, Merril F. **Principles of Expository Preaching**. Grand Rapids: Zondervan Publishing House, 1955.
VINET, A. **Homiletics or the Theory of Preaching**. New York: Ivison & Phinney, 1854.
WEATHERSPOON, Jesse Burton. **Sent Forth to Preach**. New York: Harper and Brothers, 1954.
WHITE, Douglas M. **The Excellence of Exposition**. Neptune: Loizeaux Brothers, Inc., 1977.
WHITE, R. E. O. **A Guide to Preaching**. Grand Rapids: William B. Eerdmans Publishing Co., 1973.
WHITESELL, Faris Daniel. **Evangelistic Preaching and the Old Testament**. Chicago: Moody Press, 1947.
______. **Power in Expository Preaching**. New York: Fleming H. Revell Company, 1963.
WHITESELL, Faris Daniel; PERRY, Lloyd M. **Variety in Your Preaching**. Westwood, New Jersey: Fleming H. Revell Company, 1954.
WILSON, Gordon. **Set for the Defense**. Western Bible and Book Exchange, 1968.

Esta obra foi composta em *Agaramond*
e impressa por Corprint Gráfica sobre papel
Pólen Natural 70 g/m² para Editora Vida.